Mit Hitler für Mütterchen Russland

Perry Pierik

Mit Hitler für Mütterchen Russland

Die Geschichte patriotischer sowjetischer Kollaborateure

Verlag Aspekt

Mit Hitler für Mütterchen Russland
© Perry Pierik
© 2024 Verlag Aspekt
Amersfoortsestraat 27, 3769 AD Soesterberg, Nederland
info@uitgeverijaspekt.nl – http://www.uitgeverijaspekt.nl
Übersetzung: Jemima Schiele
Umschlaggestaltung: Jemima Schiele
Innenteil: Verlag Aspekt

Inhaltsverzeichnis:

Vorwort 7

Kress von Kressenstein in Georgien 9

Die Folgen der Russischen Revolution 12

Die Wiederannäherung von Moskau und Berlin über Rapallo 17

Die Ukraine und Pawlo Skoropadski 20

Holodomor, die Hungersnot in der Ukraine 22

Mord am Coolsingel 24

Stepan Bandera, 'Ehrenhaft' und die Vorbereitung der Operation 'Barbarossa' 26

Die Gründung von Einheiten und Milizen ab Juni 1941 32

Osttruppen in Trawniki und anderswo 36

'Ich halte dies für kriegsentscheidend' 38

Theodor Oberländer 66

Amin el Husseini 68

Mordende ukrainische Milizen 71

Die Entdeckung von Andrej Vlassow 75

Chancen in der Kalmücken-Steppe 78

Oberländer stellt Massaker in Taman fest 80

Stalingrad bietet Wlassow Chancen 82

Der mühsame Weg zu den Feldern von Prochorowka 86

Himmler entdeckt die Möglichkeiten der Zusammenarbeit 90

Die SS wird "Verbündeter" von Wlassow und die Schaffung von "Neu-Turkestan" 92

Die Division 'Galizien': zwischen Kriegsverbrechen und Soldatentapferkeit 97

Zunehmende Desertion 101

Wlassovs später Triumph im Schloss Hradschin 104

Der Samen der Wahrheit ist gesät und wird Früchte tragen 107

Die "Brutstätte" der Sowjetbürger in deutscher Hand 110

Himmler testet "seine" Russen an der Oder 114

Schwermütig in die Schlacht beim Erlenhof 117

Vlassow sammelt seine Truppen in der Nähe von Prag 121

Loyalität zu Deutschland oder Zusammenarbeit mit dem tschechischen Widerstand? 152

Die Kämpfe um Rosin zwischen der Vlassow-Armee und den Deutschen 155

Die GI's in Pilsen 158

Von Jalta verschluckt 161

Nachwort: Knifflige Bilanz 163

Kurzer Literaturüberblick: 166

Vorwort

Etwa 1 Million Einwohner der Sowjetunion kollaborierten mit den Nazis. Dies ist eine bemerkenswerte Tatsache, da die Nazis aufgrund ihrer Rassenpolitik nicht gerade als Verbündete angesehen werden konnten. Und doch geschah es. Die Abneigung gegen den Bolschewismus, die Hoffnung auf eine neue Freiheit, der Patriotismus und die langsam aufkommenden Kräfte auf deutscher Seite ließen einen Horizont erkennen, in dem eine Zusammenarbeit zwischen den Sowjetvölkern und den Deutschen eine bessere Alternative als das "Sowjetische Paradies" darstellen könnte. Historische Unterdrückung und Erfahrungen spielten dabei eine große Rolle, vor allem bei der Ukraine, der Krim und den Völkern des Kaukasus. Aber auch bei Russen, die sich nach den zaristischen Zeiten von einst sehnten.

Durch all das kam eine mühsame, aber letztlich sehr umfangreiche Zusammenarbeit zustande. Anhand von Dokumenten und Literatur wird ein Einblick in die Grundzüge dieses außergewöhnlichen Ereignisses gegeben. Ein ebenso dramatischer Tatbestand, denn mit dem Untergang des Dritten Reiches wurde das Freiheitsstreben der "Osttruppen" in Frage gestellt und ein dunkles Ende zeichnete sich ab.

Infolgedessen ist die Geschichte der "Osttruppen" bis heute von Diskussionen und Emotionen umgeben und gehört zu den dunkelsten Höhlen des Krieges. Dieses Buch konzentriert sich auf die Zusammenarbeit der sowjetischen Völker an der Ostfront. Dieses Buch ist eine begrenzte Vorstudie zu einem größeren Buch, an dem der Autor derzeit arbeitet. Es handelt sich um einen ersten *Outline History*, in dem sich ein breiteres Publikum über dieses Phänomen informieren kann. Im Anschluss daran lohnt es sich, auf andere Literatur des Autors dieses Buches zu verweisen, wie z. B. *Neu-Turkestan an der Front*, das sich bereits mit der islamischen Kollaboration befasst hat.

Kress von Kressenstein in Georgien

Er war eine bemerkenswerte Erscheinung, der deutsche General Friedrich Kress von Kressenstein, als er 1918 an der Spitze einer deutschen Militäreinheit die georgische Grenze überschritt. Sein scharf geschnittenes Gesicht hatte militaristische Züge, aber seine raffinierte Brille ließ auch auf einen scharfen Verstand schließen. Der Erste Weltkrieg war für Russland mit dem Frieden von Brest-Litowsk zu Ende gegangen. Infolge der Großen Oktoberrevolution herrschte in dem riesigen russischen Reich Chaos. Die Machtverhältnisse verschoben sich, die Völker sahen Möglichkeiten, ihre nationalen Identitäten zu entfalten. Das bot auch für Deutschland und für das Verhältnis Berlins zum Osten neue Chancen.

Friedrich Kress von Kressenstein, im April 1870 - dem Jahr des Deutsch-Französischen Krieges - in Nürnberg geboren, hatte eine außergewöhnliche Karriere hinter sich. Das Schicksal hatte ihn mit dem (Nahen) Osten verbunden. Der Artilleriegeneral war bereits vor dem Ersten Weltkrieg im Osmanischen Reich tätig. Er war Teil der Liman von Sanders-Mission in der Türkei. Diese Zusammenarbeit war für das Wilhelminische Deutschland von großer Bedeutung. Die Türkei lag strategisch sehr günstig zwischen dem Nahen Osten und Zentralasien und bewachte auch strategische Wasserwege. Bereits im Juli 1914 hatte sich eine Zusammenarbeit zwischen Konstantinopel und Berlin gegenüber dem zaristischen Russland abgezeichnet. Die Türken suchten militärische Unterstützung bei den Deutschen und der österreichisch-ungarischen Doppelmonarchie. Es handelte sich vor allem um technische Unterstützung für den hochentwickelten deutschen militärisch-industriellen Komplex. Kress von Kressenstein spielte in dieser Angelegenheit eine nicht unbedeutende Rolle und war von den türkischen Behörden mit der hohen Auszeichnung "Imtiyaz Madalyasi", dem so genannten "Ehrenorden" mit den "goldenen Schwertern", geehrt worden. Von Kressenstein trug diese hohe Auszeichnung stolz an einem dreieckigen Band, anders als preußische Offiziere, die solche Orden an der Brust trugen. Auf diese Weise unterstrich er seine bayerische Abstammung.

In Russland kam es im Oktober 1917 zur Revolution. Das stolze Zarenreich war aufgrund des moralischen Bankrotts des Regimes und der enttäuschenden Ergebnisse an der Front stark geschwächt und damit anfällig für die revolutionären Elemente des Landes. Aus neueren Studien, u. a. von der deutschen Historikerin Eva Ingeborg Fleischhauer, wissen wir, dass es seit langem auch Verbindungen zwischen Lenin und anderen Revolutionären innerhalb und außerhalb des Zarenreichs gab, die nun ihre Chance sahen. In Zusammenarbeit mit Teilen des deutschen militärischen Oberkommandos, der OHL, und Offizieren um den einflussreichen General Erich Ludendorff wurde die Revolution genauestens vorbereitet. Als Lenin im versiegelten Zug von Deutschland über Skandinavien nach St. Petersburg fuhr, sprach man in der OHL von "unserem Mann in Russland". Das war eine Rolle, die dem eitlen Lenin nicht ganz gefiel. Als kommunistischer Revolutionär wollte er keine Marionette der "kapitalistischen Mächte" sein, und die kommunistische Geschichtsschreibung schrieb die deutsche Rolle im Zusammenhang mit der Revolution aus den Geschichtsbüchern.

Nach dem Zusammenbruch des Kaiserreichs im November 1918 säuberte Deutschland seine eigenen Archive. Es zog es vor, nicht für das blutige soziale Experiment verantwortlich gemacht zu werden, dass durch die russische Revolution eingeleitet worden war. All dies änderte nichts an der Tatsache, dass die deutsche Beteiligung an den geopolitischen Entwicklungen im Osten erheblich war.

Die Folgen der Russischen Revolution

Auf kurze Sicht schien die Russische Revolution für das Deutsche Reich von Vorteil zu sein. Die Revolution hatte Kräfte an die Macht gebracht, die kein Interesse in der Fortsetzung des Ersten Weltkriegs hatten. Am 3. März 1918 endete der Krieg an der Ostfront offiziell mit dem Frieden von Brest-Litowsk, der zwischen den so genannten Mittelmächten (Deutschland, Österreich-Ungarn, Bulgarien und dem Osmanischen Reich) und den Vertretern des bolschewistischen Russlands unterzeichnet wurde.

Für Wladimir Lenin, Leo Trotzki und die anderen bolschewistischen Führer war Brest-Litowsk lediglich eine Möglichkeit, freie Hand zu bekommen. Es war klar, dass die Russische Revolution eher ein Putsch als eine Revolution war und dass sie schon bald alle Hände voll zu tun haben würden, um die restaurativen Kräfte zu bekämpfen, die versuchten, das Haus Romanov und das alte Regime wiederherzustellen.

Infolge des Zusammenbruchs des Zarenreichs bekamen auch alle möglichen nationalistischen Elemente innerhalb des russischen Vielvölkerreichs wieder Auftrieb. Der Gedanke der Befreiung herrschte vor. Unterstützt wurde dies durch die Botschaft des

US-Präsidenten Thomas Woodrow Wilson, der vom Recht der Völker auf Selbstbestimmung sprach. Im Westen richtete sich die Aufmerksamkeit auf Österreich-Ungarn. Die Doppelmonarchie war der "Vielvölkerstaat" schlechthin, und nun zerfiel das Reich. Der alte Kaiser Franz Joseph war bereits im Krieg gefallen und sein Cousin zweiten Grades, Karl I., war erst seit kurzer Zeit auf dem Thron und hatte keine Autorität mehr. Selbst der ehemalige Flügeladjutant Miklos Horthy kehrte Wien mit einem unabhängigen Ungarn den Rücken, nachdem er zuvor einen kommunistischen Putschversuch unter der Führung des Journalisten und Lenin-Vertrauten Béla Kun abwehren musste. Auch andere Völker erhoben sich aus der Asche, um die entstehende Situation zu nutzen: Polen, Tschechen, Slowaken, Kroaten und Slowenen. Der gleiche Prozess fand auch im Osten Russlands statt. So war Georgien eines der ersten Länder, das im März 1917 seine eigene religiöse Autorität im Land wiederherstellte - ein Vorbote weiterer politischer und kultureller Schritte. Mit dem weiteren Zerfall folgten neue Schritte und Massendesertionen aus der zaristischen Armee. Dabei standen sich zwei Kräfte gegenüber: die Bolschewiki und die Nationalisten.

In der Kaukasusregion kam es zunächst zu einer wundersamen Zwischenlösung, dem so genannten Transkaukasischen Kommissariat, dem neben Georgien auch Armenien und Aserbaidschan angehörten. Dieses konstruierte Bündnis hatte jedoch nicht lange Bestand, und kurz darauf, im Mai 1918, erklärte Georgien seine Unabhängigkeit. Dieser große Schritt veranlasste sowohl die Regierung in Tiflis als auch Berlin dazu, die strategischen Karten neu zu mischen. Georgien hatte natürlich Angst vor kommunistischer Einmischung und suchte eifrig nach Verbündeten. Aus diesem Grund marschierte die 3.000 Mann starke Truppe von Kress von Kressenstein in Georgien ein. Man hoffte, dass diese deutsche Unterstützung die Souveränitätsbestrebungen stärken würde. Für Berlin war das Land in der Nähe der strategischen kaukasischen Ölfelder und der Schwarzmeerküste von großer Bedeutung.

Der Schritt Georgiens in die Unabhängigkeit hatte einen Schneeballeffekt auf andere Staaten. So folgten wenige Tage später auch Armenien und Aserbaidschan. Trotz des triumphalen und symbolischen Einzugs der deutschen Truppen war das Kaukasus-Abenteuer des wilhelminischen Deutschlands nur von kurzer Dauer. Der Frieden von Brest-Litowsk wurde genutzt, um Truppen von der Ostfront an die Westfront zu verlegen, doch die dadurch ermöglichte deutsche Frühjahrsoffensive von 1918 war nicht so erfolgreich wie erhofft. Unter der Führung von Paul von Hindenburg und Erich Ludendorff rückten die deutschen Divisionen am 21. März ein. Unter dem Decknamen "Michael" wurden die Entente-Truppen von der Offensive überrascht. Mit dem Mut der Verzweiflung griffen die deutschen Einheiten an. Siebzig Divisionen aus dem Osten hatten ihre eigenen Reihen verstärkt. Berlin weiß, dass es um alles oder nichts geht. Durch den uneingeschränkten U-Boot-Krieg wurden die USA in den Krieg verwickelt und jeden Monat trafen 100.000 neue Truppen ein. Die Zeit tickte also nicht zu Gunsten der Deutschen.

Die deutsche Frühjahrsoffensive verursacht eine vorübergehende Krise auf Seiten der Entente. Nur unter der gemeinsamen Führung des französischen Marschalls Ferdinand Foch gelingt es, dem deutschen Angriff zu widerstehen und den Schaden dort zu begrenzen, wo die Front bricht. Die Schlacht dauert bis zum Herbst 1918, doch ein wirklicher strategischer Durchbruch gelingt nicht. Dies war der Auftakt zum November 1918, dem Ende des Ersten Weltkriegs und dem Ende des Deutschen Reichs. Mit der Flucht von Kaiser Wilhelm II. in die Niederlande brach die Hohenzollernmonarchie zusammen. Georgien konnte sich nicht mehr auf die deutsche Unterstützung gegen die Kommunisten verlassen und suchte nun eilig Hilfe bei der Entente und insbesondere bei den Briten, die traditionell ein Interesse an dem ölreichen Boden (Baku) des Kaukasus hatten.

Georgien teilte das Schicksal anderer kleiner Länder im Umfeld der Supermächte, wie die Staaten Mitteleuropas, die immer von anderen Staaten abhängig waren. Für Georgien war das alles nur ein Aufschub der Hinrichtung. Die triumphale Unabhängigkeit wurde schließlich blutig erstickt, als bolschewistische Truppen am 28. Februar 1921 nach schweren Kämpfen mit nationalistischen Studentenmilizen Tiflis einnahmen. Zur Enttäuschung der von nationalen Gefühlen entflammten Bevölkerung herrschte in Georgien wieder Moskau.

Die Wiederannäherung von Moskau und Berlin über Rapallo

Seit der großen Oktoberrevolution standen sich im Kern zwei grundlegende Ideen gegenüber: die globalen internationalistischen Ambitionen des Kommunismus/Sozialismus und der Nationalstaat. Im Osten waren dies die Supermächte Sowjetunion, die offiziell seit 1922 existierte, und das neue Deutsche Reich, das nach November 1918 aus der Asche auferstanden war. Dazwischen lagen die Kleinmächte mit Polen als größtem Akteur und in gewisser Weise als Regionalmacht.

Deutschland hatte sich gegen die kommunistischen Spartakistischen Aufstände gewehrt, rutschte aber auch wegen dieser Unruhen immer weiter auf einen autoritären Kurs ab, der schließlich 1933 mit der Machtübernahme Adolf Hitlers endete. Er hatte nach dem Reichstagsbrand die diktatorische Macht ergriffen.

Mit der Ankunft Hitlers gerieten die Beziehungen zwischen Nazi-Deutschland und der Sowjetunion unter Druck. Nach dem Ersten Weltkrieg hatten Berlin und Moskau in der Frage der kommunistischen Räterepubliken zusammengearbeitet. Grundlage dafür war der Vertrag von Rapallo, der am 16. April 1922 in dem italienischen Badeort geschlossen worden war. Dieser Vertrag hatte die Entstehung der Sowjetunion anerkannt und den Weg für eine Zusammenarbeit aller Art geebnet. Dies war für beide Regime von Vorteil, da sowohl Deutschland als auch die Sowjetunion internationale "Parias" waren. Die Zusammenarbeit war teilweise auch militärischer Natur. Mit der Ankunft Hitlers verschärfte sich die Situation. Die Nürnberger Rassengesetze und die nationalsozialistische Abwertung des slawischen „Untermenschen" haben nicht gerade zu einer positiven Entwicklung beigetragen. Auch die geopolitischen Vorstellungen von "Lebensraum" (der in Osteuropa gesucht werden sollte) und "Heim ins Reich" (alle Deutschen innerhalb einer Grenze) führten zu Spannungen.

In diesen Spannungen liegen die Ursprünge der Versuche der deutschen Politik, Einfluss auf die Politik in Mittel- und Osteuropa zu nehmen. Dadurch werden die Sowjetunion und das nationalsozialistische Deutschland zunehmend gegeneinander ausgespielt.

Am Vorabend des Zweiten Weltkriegs waren die Spannungen groß. Am turbulentesten waren die Auseinandersetzungen in Spanien, wo sich zwischen 1936 und 1939 der spanische Bürgerkrieg abspielte. Hier kam es zu einem offenen Kräftemessen zwischen den Ideologien der faschistischen Länder Italien und Nazi-Deutschland sowie der Sowjetunion. Die vorgenannten Länder experimentierten ausgiebig mit neuen Waffentechniken und Strategien. Am

Ende setzte sich General Francisco Franco durch, aber es war ein zermürbender Krieg, der eine tiefe Blutspur hinterließ.

Die Ukraine und Pawlo Skoropadski

Hinter den Kulissen tobte auch ein Geheimdienstkrieg um die Lage in der Ukraine. Die politischen und territorialen Möglichkeiten, die sich nach dem Zusammenbruch des Habsburger- und des Zarenreichs boten, konnte die ukrainische Freiheitsbewegung nur von sehr kurzer Dauer nutzen. Die ersten Schritte in Richtung teilweiser Selbstverwaltung wurden unter deutscher Aufsicht durchgeführt, angeführt von Pawlo Skoropadski, einem Regime, das hauptsächlich auf Großgrundbesitz basierte. Dennoch brodelte es intern im ukrainischen Lager, während die Gegner der ukrainischen Unabhängigkeit nicht untätig blieben. Die Ukrainer litten unter dem gleichen Manko wie die Kurden. Sie waren ein großes Volk, das das Pech hatte, am Schnittpunkt vieler Kulturen zu leben. Die Österreicher, Ungarn, Deutschen, Russen, Bolschewiken, Rumänen und Tschechen hatten ihr Gebiet im Griff. Die ukrainischen Führer sahen sich gezwungen, einer nach dem anderen ins Ausland zu fliehen, da der Freiheitskampf durch eine der genannten Parteien sabotiert wurde. Die moderne Geschichte der Ukraine lässt sich in einen "Sondernweg" für den östlichen Teil und einen "Werdegang" des westlichen Teils unterteilen. Politisch gesehen war vor allem der westliche Teil der Ukraine für den Freiheitskampf von Bedeutung. In der Praxis war dieser westliche Teil geografisch nicht statisch, sondern umfasste im Wesentlichen den Teil, der nicht zu Russland gehörte. Diese Gebiete unterlagen alten Ansprüchen anderer Länder. Galizien und die Bukowina fielen ab 1772 bzw. 1774 unter das Habsburgerreich. Davor gab es Ansprüche der polnisch-litauischen Streitkräfte. Nach 1918 nahm der polnische Einfluss auf Galizien wieder zu, ebenso wie in Wolhynien. Die Rumänen griffen sich Bessarabien an, ungeachtet der großen ukrainischen Gemeinschaften in Khotyn und Bilhorod. Die Ungarn drangen nach Transkarpatien und die Tschechoslowaken in die Unterkarpaten vor. All dies führte zu ständigen Spannungen in der Region mit asymmetrischen bürgerkriegsähnlichen Konflikten. Die polnisch-ukrainischen Spannungen waren in dieser Hinsicht besonders groß. Auf dem Höhepunkt der Spannungen kam es sogar zu einem Attentatsversuch auf den polnischen Staatsmann Józef Pilsudski. Viele ukrainische Freiheitskämpfer verschwanden in polnischen Gefängnissen oder flohen in den Westen.

Holodomor, die Hungersnot in der Ukraine

In der Ostukraine war die Situation noch schlimmer. Hier fand der so genannte Holodomor statt, die Hungersnot in der Region, die in den Jahren 1932-1933 ihren Höhepunkt erreichte. Die historische Debatte über dieses tragische Ereignis dauert immer noch an. Dabei handelt es sich zum Teil um eine technokratische Debatte über die Frage, inwieweit es sich bei der Aushungerung von Millionen von Ukrainern und Bewohnern des Kuban um einen geplanten Völkermord handelte. Wie bei jedem komplexen historischen Ereignis gab es auch hier "entlastende" Dokumente, u. a. über Nahrungsmittelsoforthilfe aus Moskau für die Region, aber die Tatsache bleibt, dass die Hungersnot das Ergebnis der von den Kommunisten beschlagnahmten Ernten war.

Mit diesem schrecklichen Terror wollte Stalin die ukrainische Dynamik zerstören, um jemals wieder eine "Nationenbildung" zu erreichen. Zu diesem Zweck wurde nicht nur der Hunger als Waffe eingesetzt, sondern auch ethnische Säuberungen vorgenommen. Eine bekannte Geschichte war die Politik von Lazar Kaganowitsch, der selbst aus der Ukraine stammte, sich aber als einer der grausamsten Handlanger Stalins erwies. Während der Russischen Revolution spielte er eine herausragende Rolle in Weißrussland und führte in den 1920er Jahren gewaltsam das Sowjetsystem in Turkestan ein. Darüber hinaus hatte er als Büro- und Sitzungstiger die Parteibürokratie Stalins vollständig dem Willen des Kremls unterworfen. Im Zusammenhang mit den Ukrainern führte Kaganovich Deportationen durch, bei denen auch viele Kosaken betroffen waren, die in Richtung Norden deportiert wurden. Viele ukrainische Orte wurden anschließend russifiziert, eine direkte Politik der Umsiedlung also. Vor allem in der Ostukraine sind die Spuren dieser Politik bis heute zu spüren, wie die jüngsten Spannungen zwischen Putin und dem Kiewer Regime in Bezug auf das Donetz-Becken zeigen.

Die über den Holodomor geführte Debatte, die in der Vergangenheit unter anderem von Historikern wie Robert Conquest und Alec Nove geführt wurde, hat sich in den letzten Jahren auf die Frage verlagert, ob die Vernichtung der Ukraine oder die des kleinen unabhängigen Bauern in dem Gebiet im Mittelpunkt stand. Tatsache ist, dass Stalins Politik beiden Zielen diente und sie sich nicht gegenseitig ausschlossen. In jedem Fall führte diese Politik zur Kollektivierung und Wiederbevölkerung. Nach Ansicht der Historiker Victor Danilov, R.W. Davies und Stephen G. Wheatcroft führte all dies zu einem beispiellosen Blutvergießen, das die Ukrainer später für eine Zusammenarbeit mit Nazideutschland empfänglich machte. In weiten Teilen der Ukraine wurden die deutschen Truppen als Befreier begrüßt.

Mord am Coolsingel

Während die massiven Morde und ethnischen Säuberungen stattfanden, tobte anderswo auf der Welt ein undurchsichtiger Spionage- und Geheimdienstkrieg. So wurde der ukrainische Anführer und Freiheitskämpfer Jevhen Konovalets am 23. Mai 1938 nota bene am Coolsingel in Rotterdam Opfer eines Bombenanschlags. Diese Bombe entfaltete eine verheerende Wirkung, und Konovalets wurde buchstäblich in Stücke gerissen.

Kurz zuvor hatte er eine Begegnung im Atlanta Hotel. Der Mann, den er traf, hatte sich als ukrainischer Mitstreiter ausgegeben, war aber in Wirklichkeit kein anderer als der sowjetische Top-Spion Pavel Sudoplatov. Dies war der Mann, der im Rahmen der Operation "Duck" auch Stalins wichtigsten politischen Rivalen Leo Trotzki in Mexiko töten lassen sollte.

Sudoplatov schrieb später zusammen mit seinem Sohn Anatoli seine Memoiren, das Buch *Special Tasks*. Interessant ist, wie Sudoplatov die Ermordung von Konovalets rechtfertigte. Er argumentierte, dass Konovalets ein überzeugter ukrainischer Nationalist war, der keine Skrupel hatte, durch Bombenanschläge gegen Polen und Bolschewiken für die ukrainische nationale Sache zu kämpfen. Sudoplatov wies aber auch ausdrücklich darauf hin, dass Konovalets den Nazis zugetan war und dass die ukrainischen Separatisten für die Nazi-Ideologie empfänglich waren. In der Tat war das äußerst raue politische Klima, in dem der ukrainische Freiheitskampf stattfand, keine Wiege für demokratische Entwicklungen. Es war lediglich ein Kommen und Gehen von Hardlinern, die sich bestenfalls ideologisch der Geisteshaltung Mussolinis annäherten. Sudoplatov vergaß jedoch zu erwähnen, wie sehr die Sowjetunion selbst Dreck am Stecken hatte. Dies wurde deutlich, als die Rote Armee am 17. September 1939, nachdem die Wehrmacht es am 1. September 1939 getan hatte, in Polen einmarschierte und den östlichen Teil des Landes besetzte, wie es im Molotow-Ribbentroppakt festgelegt war, der im August desselben Jahres geschlossen worden war. Damit wurde auch die Westukraine besetzt, die sich ja unter polnischer Kontrolle befand.

Stepan Bandera, 'Ehrenhaft' und die Vorbereitung der Operation 'Barbarossa'

Ein schmaler Grat zwischen Realismus und Ideologie

Die Entwicklung in der Ukraine zeigte, dass sich für Nazideutschland in Osteuropa diplomatische und politische Möglichkeiten boten. Die massive Unterdrückung von Minderheiten in der Sowjetunion und die Repressionspolitik Kaganowitschs hatten bei nationalen Elementen in den baltischen Staaten, Weißrussland und der Ukraine zu enormer Antipathie und Misstrauen gegenüber Moskau geführt. Als die Wehrmacht weiter nach Osten vordrang, folgten auch die Minderheiten auf der Krim und im Kaukasus.

Der Begeisterung der befreiten Völker standen die dogmatische Ostpolitik Berlins und nicht zuletzt die Ansichten Hitlers selbst entgegen. Die Rassengesetze waren nur schwer mit den Wünschen der slawischen Ukrainer zu vereinbaren. Darüber hinaus war Hitler von einem schnellen Sieg über die Sowjetunion überzeugt und wollte die Kriegsbeute nicht teilen. Außerdem waren die ukrainischen Nationalisten, wie andere nationalistische Kräfte in Mittel- und Osteuropa, zwar relativ deutschfreundlich, aber in erster Linie auf ihre eigenen Interessen bedacht. In dieser Hinsicht war Hitler pragmatisch; in Rumänien zum Beispiel wählte er nicht die rumänischen Faschisten von Horia Sima, sondern eher gemäßigte Führer mit breiterer Unterstützung, wie Marschall Ion Antonescu. Dies führte zu kuriosen Situationen. Faschistische Verbündete wurden in "Ehrenhaft" genommen, eine Art verherrlichte Gefangenschaft.

Das Gleiche geschah in der Ukraine. Im von Moskau besetzten Teil Polens wurde der galizisch-ukrainische Freiheitskämpfer Stepan Bandera aus der Linie der Konowaleten von den Nazis in Lemberg befreit. Bandera war ein überzeugter ukrainischer Nationalist, der unter anderem wegen der geplanten Ermordung des polnischen Politikers Bronislaw Pieracki inhaftiert war. Der deutsche Einmarsch in Polen führte zu seiner Befreiung und fachte den ukrainischen Separatismus sofort wieder an. Bandera und seine Anhänger in der Organisation der ukrainischen Nationalisten (OUN) wurden von den Nazis wegen ihrer antikommunistischen Sympathien geschätzt, doch als er die ukrainische Unabhängigkeit erklärte, wandte sich Berlin gegen ihn. Bandera verschwand in der Gefangenschaft und wurde in das KZ Sachsenhausen verlegt, wo auch andere prominente Gefangene inhaftiert waren. Berlin hielt Bandera in "Reserve" und aktiviert diesen ukrainischen Nationalismus erneut, als die Rote Armee nach der Schlacht von Stalingrad weiter gen Westen vorrückte.

Am Vorabend des deutschen Überfalls auf die Sowjetunion wurden die ersten "Osttruppen" gebildet. Einwohner der Sowjetunion wurden so für die deutsche Armee rekrutiert. Ursprünglich handelte es sich um Spezialeinheiten für Kommandooperationen, oft in feindlicher Uniform, um Brücken und Ähnliches überraschend einzunehmen. Schließlich bedeutete die Einnahme einer strategisch wichtigen Brücke einen großen Zeitgewinn für die einmarschierenden deutschen Truppen.

Unter dem Kommando von Wilhelm Carnaris hatte der deutsche Nachrichtendienst "Abwehr" Einheiten sowjetischer Bürger in den deutschen Dienst eingezogen. Dies geschah im April 1941, kurz vor der Operation "Barbarossa", im Rahmen der so genannten "Legion der ukrainischen Nationalisten". Diese wiederum wurde in zwei spezielle Einheiten aufgeteilt, die "Sondergruppe Nachtigall" und die "Organisation Roland". Diese Einheiten waren wiederum den deutschen Kommandoeinheiten der Einheit "Brandenburg-800" zugeordnet und wurden u.a. in Zusammenarbeit mit der deutschen 1. Gebirgsdivision im Raum Lemberg eingesetzt, aus dem auch viele der Freiwilligen stammten. Das so genannte "Sonderkommando PuMa" rekrutierte Mitglieder der ukrainischen nationalistischen Bewegung OUN-M, die den Nazis unmittelbar nach dem Einmarsch der Sowjets bei der lokalen Verwaltung und Führung helfen konnten. Im Gegensatz zu "Nachtigall" und "Roland" war "PuMa" also nicht für den Einsatz an der Front vorgesehen, sondern für die Unterstützung der deutschen Besatzungstruppen in der Ukraine durch den Reichskommissar im Reichskommissariat Ukraine, Erich Koch, den ehemaligen "Gauleiter" von Ostpreußen, eine Doppelfunktion, die er mit dem "Chef der Zivilverwaltung" des Bezirks Bialystok verband.

Hier zeichneten sich die ersten Probleme ab. Die intellektuellen Kader von PuMa verfügten zwar über ausgezeichnete Deutschkenntnisse und waren in diesem Sinne ein guter Vermittler zwischen den deutschen Besatzern. Sie waren aber auch den ukrainischen Idealen gegenüber loyal. So wie die Deutschen Bandera anfangs als Verbündeten ansahen, machte sich bald Misstrauen breit. Wie verlässlich waren diese neuen Verbündeten für Berlin? Bald erreichten Berichte die deutsche Hauptstadt, dass unter deutscher Tarnung für die ukrainische Sache gearbeitet wurde. Es gab keine andere Möglichkeit, als PuMa aufzulösen.

Dieses Debakel war der Auftakt zu der unangenehmen Spaltung zwischen Nationalsozialismus, ukrainischem Partikularismus und den Realitäten des Krieges. Zumindest die deutschen Beamten erkannten schnell die Möglichkeiten, die sich ihnen boten. Aber auch hier war es ein schmaler Grat zwischen Realismus und Ideologie, abgesehen von der großen Konkurrenz zwischen den verschiedenen Organisationen und Ministerien, der Verteidigung und der SS. Sie alle hatten ihre eigene Agenda, während Hitler per Dekret über ihnen herrschte. Dennoch traf man sich im deutschen Außenministerium bereits am 30. Juni 1941, um die ersten Erkenntnisse kurz abzustimmen. Der deutsche Angriff auf die Sowjetunion, der 22. Juni 1941, war erst acht Tage alt. Dazu gehörte ganz praktisch die Rekrutierung von Sowjetbürgern für die deutschen Streitkräfte, wobei man sowohl an das Heer als auch an die Waffen-SS, den bewaffneten Arm des SS-Reiches von Heinrich Himmler, dachte. Der Spezialist für Turkestan-Angelegenheiten, Professor Gerhard von Mende, wies darauf hin, dass sich unter der rasch wachsenden Zahl von Kriegsgefangenen, die die Wehrmacht der Roten Armee abgenommen hatte, (muslimische) Freiwillige rekrutieren ließen. Die muslimischen Völker hatten ebenso wie die christlichen Völker des Kaukasus und andere Minderheiten stark unter dem Stalinismus gelitten. Dabei bot die marxistische Ideologie kaum Raum für die Religion, die für die Kaukasusvölker sehr wichtig war. Auch hier, wie in der Ukraine, gab es bereits eine gewisse Vorbereitung. Nicht umsonst war der diplomatische Posten in der Türkei an den prominenten Politiker und Diplomaten Franz von Papen vergeben worden. Dieser Aristokrat, der in der "Nacht der langen Messer" 1934 mehrere Freunde verloren hatte, setzte sich auch in der Türkei noch für die deutsche Sache ein. Darüber hinaus war er während des Ersten Weltkriegs in der Türkei stationiert. Als Reaktion auf die antikoloniale und vor allem antideutsche Stimmung im Nahen Osten setzte er sich innerhalb der pantürkischen Bewegung für einen pro-deutschen Kurs ein. Er kämpfte aber auch gegen die sowjetische Unterwerfung der türkischen Völker im Osten, wobei er sich auf antirussische Stimmungen aus dem Krimkrieg von 1853-1856 sowie dem türkisch-russischen Krieg von 1877-1878 berufen konnte. So gab es schon früh geheime deutsche Kontakte, teilweise über die Türkei, zu den Krimtataren. Diese sollten den Deutschen jedoch nichts nützen. Bei der Eroberung und Besetzung der Krim 1941-1942 zeigten sich die Krimtataren sogar besonders kooperativ. Normalerweise wurden rekrutierte "Osttruppen" zur Beobachtung und Ausbildung nach Polen gebracht, aber die Krimtataren bekamen sofort eine Waffe in die Hand und kämpften mit. Sie waren im Kampf gegen die Partisanen besonders wichtig, weil sie die örtlichen Gegebenheiten kannten. Sie halfen auch den berüchtigten "Einsatzgruppen", die Jagd auf Juden und Kommunisten machten.

Die Gründung von Einheiten und Milizen ab Juni 1941

Die oben beschriebenen Konsultationen vom Juni 1941 führten zur raschen Bildung der ersten bewaffneten Einheiten, die sich aus sowjetischen Völkern zusammensetzten. Wie weit die Zusammenarbeit mit den Vertretern der verschiedenen Minderheiten ging, zeigte sich bei den Turkmenen, als zwei türkische Generäle auf Vermittlung des deutschen Botschafters von Papen deutsche Kriegsgefangenenlager besuchten, um zu prüfen, ob die Rekrutierung turkmenischer Freiwilliger möglich war. Es handelte sich dabei um die Generäle Erkilet und Erden. Allerdings reisten die türkischen Generäle als Privatpersonen in die deutschen Lager, um ungewollte diplomatische Probleme zu vermeiden.

Die Ankunft der Türken deutete darauf hin, dass es ernsthafte Möglichkeiten gab. Von Mende forderte die Behörden auf, die Kriegsgefangenen nach ethnischer Zugehörigkeit zu selektieren und unterzubringen. Dadurch könnte der Prozess der gezielten Einberufung beschleunigt werden. Die Spezialisten der "Ostforschung" sahen noch weitere Möglichkeiten, was sich bald in der Schaffung von armenischen, nordkaukasischen und kaukasisch-islamischen Legionen zusätzlich zu den türkischen im Dezember 1941 zeigte. Kurz darauf wurde eine Einheit für freiwillige Soldaten aus Aserbaidschan aufgestellt, der im Verlauf des Jahres 1942 eine Legion aus der Wolgaregion folgte. Mende's Plan zur Einrichtung separater Gefangenenlager fand teilweise Zustimmung und verstärkte die kontinuierliche Rekrutierung. Wie weitreichend die Vorstellungen des Auswärtigen Amtes waren, zeigte auch die Gründung des so genannten "Sonderstabs Felmy" unter der Leitung von General Hellmuth Felmy, der versuchte, arabische Freiwillige für den deutschen Militärdienst in Nordafrika und anderswo zu gewinnen. Dies führte zur Gründung der so genannten Deutsch-Arabischen-Lehrabteilung (DAL).

Es handelte sich um ein äußerst improvisiertes Geschäft, bei dem Organisationen und Verantwortlichkeiten rasch wechselten. Schließlich entstand aus der DAL die sogenannte Arabische Legion, jedoch blieb die Zahl der Rekruten begrenzt. Auch in der Ukraine lief es nicht wie gewünscht. Neben Bandera hatten die Nazis auch Jaroslaw Stetsko verhaftet. Er war der zeitweilige Leiter der von Bandera ausgerufenen ukrainischen Unabhängigkeit, was die Deutschen veranlasst hatte, ihn zu verhaften. Stetsko stammte aus Tarnopol, das früher zu Österreich-Ungarn gehörte, und war zuvor mit polnischen Behörden aneinandergeraten. Nach seiner Verhaftung und der von Bandera trafen sich die ukrainischen Verantwortlichen erneut im Hotel Atlanta in Rotterdam, um den Fall zu besprechen. Es wurde jedoch bald klar, dass ihnen von Berlin die Hände gebunden waren. Der Handlungsspielraum war gering, allerdings größer als unter Stalin. Der gemeinsame Antisemitismus war nur ein magerer "Trost".

Währenddessen kämpften die deutschen Besatzer mit ihren eigenen ideologischen Zwängen. Das geteilte Gebiet im Osten fiel unter die Wehrmacht - Korpsrückwärts (Korück) und ging dann in die "Zivilverwaltung" über. Inmitten der Auseinandersetzungen zwischen Vernunft und Parteidoktrin ging es auch um das Schicksal und die Rolle der "Volksdeutschen" unter den "Ostvölkern". Für die deutsche Politik war es ziemlich verwirrend zu entscheiden, wer genau diesen Status beanspruchen konnte, wenn er ihn überhaupt wollte. Volksdeutscher zu sein bedeutete oft eine Militarisierung der Existenz, wie z.B. "Volkswehren", Dienst in der Wehrmacht oder in der Waffen-SS, und nicht selten wurde man auch Teil einer Bevölkerungspolitik, die zu einer Umvolkung führte.

Uneinigkeit herrschte auch über die Definition des Begriffs "Volksdeutscher". Um Ordnung in die Situation zu bringen, legte das Oberkommando der Wehrmacht (OKW) am 15. Juli 1941 schließlich eine eindeutige Definition fest, gefolgt von Anweisungen für den Umgang mit diesen Menschen. Letzteres war angesichts der Tatsache, dass in den neu besetzten Gebieten Mord und Totschlag herrschten, kein Luxus. Das OKW orientierte sich an den Richtlinien des Hauptamtes Volksdeutsche Mittelstelle (VoMi), einer Organisation unter Leitung von

SS-Obergruppenführer Werner Lorenz, die die Interessen der Volksdeutschen vertrat. Die VoMi war bereits 1937 gegründet worden und konzentrierte sich zunehmend auf die Situation in Osteuropa.

Osttruppen in Trawniki und anderswo

Nach der ersten Anwerbung von Freiwilligen durch die verschiedenen Legionen wurden ab dem 17. Juli 1941 auch "Osttruppen", der Sammelbegriff für Freiwillige aus der Sowjetunion, im SS-Ausbildungszentrum Trawniki ausgebildet. Die Initiative ging vom SS-Hauptamt aus und wurde in der polnischen Stadt Trawniki durch das Büro von Himmlers Vertrautem, dem österreichischen SS-Offizier Odilo Globocnik, ins Leben gerufen. Dieser ernannte den SS-Offizier Sturmbannführer Karl Streibel, der die Männer dann als Wachmannschaften für die SS ausbildete. Streibel setzte diese Arbeit bis zur Evakuierung des Lagers im Juli 1944 fort.

Trawniki war nur ein Tropfen auf den heißen Stein, was diese sehr dunkle Seite der Kollaboration betrifft. Wer die Berichte der Einsatzgruppen liest, erfährt von ihren mörderischen Aktivitäten hinter der Front, wo sie regelmäßig kollaborierende Einheiten und Milizen antrafen, die den Mördern der SD- und SS-Männer unterstützend zur Seite standen. Unterdessen nahm die militärische Zusammenarbeit rasch zu. Bis Dezember 1941 ging der deutsche Vormarsch zügig voran, und eine große Zahl sowjetischer Soldaten fiel in deutsche Hände. Diese gerieten unter den denkbar schlechtesten Bedingungen in Gefangenschaft, so dass der deutsche Dienst bald einen verlockenden Ausweg bot. Es gab auch viele Überläufer. Eines der bekanntesten Beispiele war der Übertritt eines ganzen russischen Regiments unter der Führung von Major Kononow (Regiment 436 der 155. Division) im August 1941. Im September 1941 kam es zu Initiativen innerhalb des Oberkommandos der Heeresgruppe Mitte: In Gesprächen zwischen den Stabsoffizieren Henning von Tresckow und Major Freiherr von Gersdorff wurde beschlossen, 200.000 russische Freiwillige zur Unterstützung der Wehrmacht anzuwerben. Die Pläne wurden von Stabsoffizier Hauptmann Strik-Strikfeldt in einer "Denkschrift" an Marschall Walther Heinrich Alfred Hermann von Brauchitsch, den Befehlshaber des OKH (Oberkommando des Heeres), übermittelt. Brauchitsch, der auch in direktem Kontakt mit Hitler stand, erkannte sofort die Bedeutung dieser Initiative und schrieb an den Rand: "Ich halte dies für kriegsentscheidend".

'Ich halte dies für kriegsentscheidend'

Das hohe Wort war gesprochen. Man brauchte die Hilfe der Menschen in der Sowjetunion, um den Krieg zu gewinnen. Bis dahin hatte die deutsche Armee noch nie länger als sechs Wochen am Stück kämpfen müssen. Die Militäroperation in Russland hatte jedoch ein bisher unerreichtes Ausmaß und einen nie dagewesenen Umfang. Dabei geriet der Angriff auf Moskau im Dezember 1941 ins Stocken. In der "Winterstellung" hielt die Wehrmacht nur mit Mühe stand, aber die Verluste und die Enttäuschung waren enorm. Der "Russifizierung" des östlichen Feldzuges musste nach Meinung vieler eine höhere Priorität eingeräumt werden.

Bis Ende 1941 wurden alle möglichen Maßnahmen ergriffen, darunter die Aufstellung von sechs Krim-Bataillonen. Der Kampf um die Krim war in vollem Umfang ausgebrochen. Sebastopol war ein strategischer Schwarzmeerhafen, von dem aus die Sowjets die strategischen rumänischen Ölfelder bei Ploieşti erreichen konnten. Die Eroberung der Krim war daher von großer Bedeutung und wurde von einem der fähigsten Offiziere Hitlers, Generalfeldmarschall und Schlüsselstratege Erich von Manstein, befohlen. Die Krimtataren, die der berüchtigten 'Einsatzgruppe D' angehörten, unterstützten die deutschen Pläne. Unter dem Kommando des berüchtigten Kommandeurs Dr. Otto Ohlendorf, der später von Walter Bierkamp abgelöst wurde, war die Einsatzgruppe D für die Ermordung vieler Tausend Juden und Kommunisten verantwortlich.

Kress von Kressenstein

Erich Ludendorff

Bela Kun

Der amerikanische Präsident Woodrow Wilson

Lenin

Russische Revolution

Zar Nikolaus II und seine Familie

Frieden von Brest-Litowsk

Pavlo Skoropadsky

Vertrag van Rapallo

Adolf Hitler kam 1933 an die Macht

Massengräber bei Charkow

Holodomor, die Hungersnot in der Ukraine

Die ukrainische ländliche Bevölkerung wurde mit Hunger diszipliniert

Spezialagent Pavel Sudoplatov

Bombenanschlag auf dem Coolsingel

Das Grab von Konovaletsj in Rotterdam

Yevgen Konovaletsj

Gerhard von Mende

Erich Koch

KZ Sachsenhausen

Wilhelm Canaris

Stepan Bandera

Turkmenische Freiwillige

Kosaken-Einheit

Deutsche Flugabwehr in Aktion im Kaukasus

Kosake im deutschen Militärdienst

Der Polka-Tanz in Wehrmacht-Uniform aufgeführt

Blutjunger Kosake

Soldat der Osttruppen mit Auszeichnungen

Die Osttruppen wurden unter anderem aus Kriegsgefangenenlagern rekrutiert. Auf dem Foto sind gefangene Soldaten der Roten Armee auf der Krim zu sehen

Turkmenische Freiwillige

Deutsche Wehrmacht auf der Krim

Deutsche Truppen ziehen in Sewastopol ein

Otto Ohlendorf

Von Stalin deportierte Bürger

Theodor Oberländer

Amin el-Husseini besucht die Waffen-SS-Einheit 'Handschar' an der Front in Jugoslawien

Schießübung

El Hoesseini wurde zur Mobilisierung islamischer Freiwilliger eingesetzt

Einsatzgruppen in Aktion

Theodor Oberländer

Während der Zeit des "Denkschrifts" der Heeresgruppe Mitte wurde auch das "Denkschrift" Deutschland und der Kaukasus veröffentlicht, verfasst von Theodor Oberländer, einem gebürtigen Politiker und Denker aus Meiningen. Oberländer verband seine "Realpolitik" in Bezug auf die "Osttruppen" mit seinen Erkenntnissen über die Kollaboration im Kaukasus und der nationalsozialistischen Ideologie. So entwickelte er zuvor einen Plan, um Polen für Nazi-Deutschland zu gewinnen, indem er sie an der großen jüdischen "Beute" in Polen teilhaben ließ. In seiner "Denkschrift" vom Oktober 1941 beschrieb er die Geographie des Kaukasus, den Einfluss des Bolschewismus in der Region und die deutschen Möglichkeiten im Kaukasus, wobei Oberländer insbesondere die Religionsfreiheit für die (muslimischen) Völker und die Landrückgabe als Anti-Kollektivierungspolitik hervorhob.

Die Initiativen der Heeresgruppe Mitte und Oberländers "Denkschrift" stoßen in Hitlers engstem Umfeld auf Skepsis. Marschall Wilhelm Keitel, ein direkter Vertrauter Hitlers, kritisierte zunehmend die politische Einmischung des Heeres in die Angelegenheiten an der Ostfront. Es war klar, dass Keitel dies für eine Überschreitung der Kompetenzen und der Kommandostruktur der Streitkräfte hielt. Seine Kritik konzentrierte sich daher vor allem auf die Heeresgruppe Mitte. "Diese Angelegenheiten gehen die Heeresgruppe nichts an", sinnierte er. "Dabei steht das für den Führer nicht zur Diskussion." Dieses Problem sowie die Spannungen aufgrund der enttäuschenden Ergebnisse der Operation "Barbarossa" führten Ende 1941 zur Entfernung von Von Brauchitsch und General Von Bock, die die Pläne für die Zusammenarbeit unterstützten. Das Schicksal der deutsch-russischen Zusammenarbeit schien besiegelt, doch das war nicht der Fall. Es gab schlichtweg eine andere Wirklichkeit, die parallel zur Realität im Führerhauptquartier existierte. Dort entsteht aus der Lebensraumpolitik und der Ausarbeitung des "Generalplan Ost" ein radikales Umsiedlungsprogramm. Aber diese Pläne waren von der Realität an der Front abgekoppelt. Die Niederlage gegen Moskau warf Fragen zum Ausgang des Krieges auf. Bereits am 23. November hatte Franz Halder, Chef des Generalstabs der Landstreitkräfte, festgestellt, dass die vollständige Vernichtung der sowjetischen Streitkräfte im Jahr 1941 eine Illusion sei und man sich daher auf einen langen Krieg mit all seinen Folgen einstellen müsse. Halder äußerte sein ängstliches Misstrauen gegenüber der Zukunft, da er die Sowjetunion als einen "unendlichen Raum" ansah, der kaum zu erobern sei und über "unerschöpfliche Ressourcen" verfüge.

Amin el Husseini

Die Befürworter der Zusammenarbeit mit den sowjetischen Völkern hatten übrigens einen unerwarteten Verbündeten gewonnen. Am 28. November 1941 war nämlich der Großmufti von Jerusalem in Berlin eingetroffen. Hadschi Mohammed Amin el Husseini. Diese radikale Persönlichkeit verstand sich als entschiedener Gegner des Judentums und des Zionismus und sah in Nazideutschland einen Verbündeten. Er unterstützte radikale Radiosendungen, die aus Nazideutschland in den Nahen Osten schallten. Gegenüber Hermann Göring, Hitlers Luftwaffenchef, drängte er auf die Bombardierung jüdischer Viertel in Palästina. Für die Nazis war Husseini ein arabischer Verbündeter und bequemer Mitstreiter, sowohl an der West- als auch an der Ostfront. Er wollte die Deutschen bei der Rekrutierung muslimischer Freiwilliger unterstützen.

Unterdessen war der Ausbau der Einheiten in vollem Gange, mehr oder weniger unter dem Radar des Führerhauptquartiers. Man könnte von einer Toleranzkonstruktion sprechen. Das mag im Führerstaat etwas seltsam klingen, aber intern hatte das Dritte Reich seine eigene Dialektik. Doppelfunktionen und sich überschneidende Behörden bekämpften sich gegenseitig. Das gab Hitler stellvertretend die absolute Macht.

Bis Anfang 1942 waren nicht weniger als 150 Bataillone Osttruppen entstanden. Etwa 70 Bataillone davon bestanden aus ukrainischen Freiwilligen, der Rest aus Weißrussen, Balten, Krimtataren und Kaukasusvölkern. Hinzu kam ein unüberschaubares Gewirr kleinerer Milizen und Einheiten, die z.B. der Hilfspolizei oder den Hilfswachmannschaften in der Ukraine zugeordnet waren.

Nachdem die Heeresgruppe Mitte 1941 mit Initiativen vorgegangen war, folgte die Heeresgruppe Süd auf dem Fuße. Am 4. Januar 1942 wurde berichtet, dass erneut mehrere tatarische Einheiten gebildet worden waren. Diese Freiwilligen wurden auch zu Propagandazwecken gegen die sowjetischen Divisionen auf der Krim eingesetzt. Mit Lautsprechern und Flugblättern versuchten sie, kaukasische sowjetische Soldaten zum Überlaufen zu bewegen. Unter den argwöhnischen Augen des Führerhauptquartiers fand ein Kampf der "Herzen und Köpfe" statt. Die Propaganda hatte Möglichkeiten. So meldete der Nachrichtendienst der deutschen 16. I.D. am 7. Januar 1942, dass die ihnen gegenüberstehenden kaukasischen Rotarmisten eine auffallend niedrige Moral hätten. Die sowjetische Repression und die anti-islamische Haltung Moskaus hatten für viel böses Blut gesorgt. Überläufer waren an der Tagesordnung.

Die Wehrmacht selbst arbeitete ständig daran, ihre Zusammenarbeit mit den Osttruppen zu professionalisieren. Am 9. Januar 1941 wurde das

“Merkblatt für die Behandlung der Tataren” herausgegeben, am 2. Juni 1942 folgte eine “Denkschrift” über die “Turkvölker”. Auch Hitler selbst zeigt sich flexibel und erklärt sich nach dem Besuch Husseinis bereit, eine “Arabische Legion” zu gründen. Außerdem wurde in Berlin ein Büro für den Großmufti El Husseini, das sogenannte “Arabische Büro”, eröffnet. Unmittelbar nach Hitlers Entscheidung erfolgte am 13. Januar die Aufstellung der “Turkestanischen Legion” und der “Kaukasisch-Mohammedanischen Legion”.

Mordende ukrainische Milizen

Der Bedarf an Osttruppen wuchs unterdessen. Einer der Männer, die aktiv für die Armee rekrutierten, war Claus Schenk Graf von Stauffenberg, der Mann, der für das gescheiterte Attentat auf Hitler vom 20. Juni 1944 verantwortlich war. In Bezug auf die Beteiligung der Osttruppen wies er in einem ausführlichen Schreiben vom 15. Januar 1942 darauf hin, dass die Beteiligung der "Ostvölker" für die Bildung der "Schicksalsgemeinschaft" Europa wichtig sei.

Dass es zu dieser "Gemeinschaft" noch etwas zu sagen gab, wurde deutlich, als im Windschatten der Militarisierung alte Rechnungen der östlichen Freiwilligen beglichen wurden. Damit schrieb die Ukraine erneut blutige Geschichte. Zwischen Juni 1941 und Mitte 1942 wurde fast die gesamte jüdische Bevölkerung der Region ermordet. Aus Sicht der Nazis war die Sowjetunion ein Produkt des "Judenbolschewismus", und Massenerschießungen von Juden und Kommunisten mit ukrainischer Hilfe waren die Folge. Doch die Gewalt hörte damit nicht auf. Die ukrainischen Wachmannschaften zogen auch eine riesige Blutspur durch das ukrainische Land gegen andere Bevölkerungsgruppen, insbesondere gegen die Polen. Bewaffnete ukrainische

Nationalisten, die UPA, marschierten mörderisch durch Wolhynien. Das Morden setzte sich dort bis März 1943 fort und verlagerte sich dann nach Ostgalizien. In dieser Region hatte es schon immer ein relativ hohes Maß an Gewalt gegeben, doch nun wurden Dutzende von Dörfern systematisch massakriert. Die Deutschen waren ratlos: Die UPA war eine gute Truppe gegen die aufstrebenden kommunistischen Partisanen, operierte aber wild und unkontrolliert und ohne deutsche Führung. In der Praxis richteten sie sich auch gegen die deutschen Besatzer. Die Polen suchten Zuflucht bei deutschen Hilfspolizeibataillonen, diese Polen wandten sich dann wieder gegen ukrainische Dörfer. Es war zu einem Wahnsinn von 'Alle gegen Alle' geworden. Nach Angaben des Historikers Grzegorz Rossolinski Liebe verloren mehrere zehntausend Menschen ihr Leben.

Duldungskonstruktionen, Willkür und Ohnmacht wechselten sich nun ab, während der Beitrag der sowjetischen Kollaboration zunahm. Dazu gehörten nicht nur bewaffnete Legionen und Bataillone, sondern auch die so genannten Hilfswilligen (Hiwis), die zunächst gar nicht offiziell "existierten", aber zunehmend fester Bestandteil der deutschen Einheiten waren. Sie übernahmen Hand- und Spanndienste, wie z. B. Fahrdienste und die Betreuung der Logistik. Im Herbst 1942 dienten bereits 200.000 Hiwis in der deutschen Wehrmacht. Im Frühjahr 1943 waren es bereits 310.000 Mann. Damit waren allein schon 10 % des deutschen Feldheeres auf Hiwi-Basis Sowjetbürger.

Dies ist eine wenig bekannte Tatsache, die jedoch nicht so überraschend ist, wenn man bedenkt, dass auf dem Höhepunkt der deutschen Macht 60-70 Millionen Sowjetbürger in den besetzten Gebieten lebten. Die Bedeutung der Zusammenarbeit wurde durch ein Plädoyer von Reinhard Gehlen, dem Chef des deutschen militärischen Nachrichtendienstes des Ostens, der "Abteilung Fremde Heere Ost", unterstrichen. Auch Gehlen war der Ansicht, dass eine Zusammenarbeit unvermeidlich und die einzige Lösung sei, um die Operation "Barbarossa" zu einem erfolgreichen Abschluss zu bringen.

Dieser Rat wurde bei der Operation "Blau", dem deutschen Angriffsplan für den Sommer 1942, beherzigt. Infolgedessen stoßen die deutschen Streitkräfte nicht nur an die Wolga vor, sondern mit der Heeresgruppe A auch in den Kaukasus. Dies würde einen neuen und direkten Kontakt mit den dortigen Völkern ermöglichen, die Moskau gelinde gesagt skeptisch gegenüberstanden. Die "Weisung" Nr. 41 wurde am 5. April 1942 angekündigt, und nach der Abwehr einer sowjetischen Offensive bei Charkow im Mai 1942 begann die Operation unter dem Kommando des sowjetischen Marschalls Semjan Timoschenko.

Während die deutschen Panzerspitzen in Richtung Kuban und Wolga rollten, wurde das deutsche Hinterland für den Endsieg aufgerüstet. Die *deut-*

sche Ukraine Zeitung aus jenen Tagen enthielt immer wieder Berichte über die Mobilisierung ukrainischer Arbeitskräfte für die deutsche Sache rund um das Erzgebiet und das Kohlebecken von Donezk und Melitopol. Die Bergwerke in dieser strategisch wichtigen Region waren von den Sowjets im Rahmen der "verbrannten Erde" systematisch zerstört worden. Es gab viel und schwere Arbeit zu tun, die viel Zeit in Anspruch nahm.

Die Entdeckung von Andrej Wlassow

ABER trotz aller Rückschläge gab es einen Moment der Hoffnung, als Generalmajor Tresckow und andere Kollaborationsbefürworter plötzlich den russischen General Andrej Wlassow erblickten. Der 1901 in Lomakino geborene Wlassow war einer der besten Generäle der Roten Armee. Er war von der sowjetischen Stavka ausgewählt worden, um das umzingelte Leningrad zu entlasten. Die Bevölkerung dort litt sehr unter der deutschen Belagerung. Sowjetische Stoßtruppen versuchten, die Front der deutschen Heeresgruppe Nord am Wolchow, am Ilmensee (Staraja Russa) und weiter südlich bei Cholm zu durchbrechen. Es war ein gewaltiger Schlagabtausch mit wenig Geländegewinn. Das sumpfige, bewaldete Gelände erschwerte die Koordinierung der Schlacht sehr. Es war ein Stellungskrieg. Dennoch wollte Stalin Ergebnisse, und endlose Angriffe mit schrecklichen Verlusten waren die Folge. Wlassow musste einen Durchbruch erzwingen und wurde in den "Kessel" eingeflogen. Die sowjetischen Truppen, die Leningrad einkesseln wollten, wurden selbst von den Deutschen eingekesselt. Dies bedeutete das Ende von Wlassows Karriere in der Roten Armee. Die eingeschlossene sowjetische Armee war nicht mehr zu retten, und nach einer Zermürbungsschlacht wurde Wlassow gefangen genommen.

Tresckow unter den Möglichkeiten, die sich in dieser Situation boten. In Absprache mit von Stauffenberg und General Ernst-August Köstring, der eine koordinierende Rolle bei den Osttruppen übernommen hatte, beschloss er, sich an Wlassow zu wenden. Wlassow war nach seiner Gefangennahme in die Festung Lötzen gebracht worden, wo wertvolle Gefangene stets verhört wurden. Einige Tage später wurde er in ein Flugzeug nach Winniza gesetzt, wo sich das Führerhauptquartier befand, ein Hauptquartier des deutschen Oberkommandos der Wehrmacht (OKW). Dort wurde Wlassow in einem "Sonderlager" untergebracht.

Hier beruhigt, zeigt sich Wlassow für eine Zusammenarbeit aufgeschlossen. Am 3. August 1942 verfasste er eine "Denkschrift" über die Zukunft Russlands. Zusammen mit anderen prominenten russischen Gefangenen, wie dem Kommandanten Wladimir Bojarski, äußerte Wlassow den Wunsch, mit den Deutschen als "gleichberechtigte Verbündete" zusammenzuarbeiten.

Diese Grundsatzerklärung Wlassows war für Nazideutschland von enormem historischen Wert. Neben den Ukrainern und den Kaukasusvölkern war dies die ultimative Chance, auch die antikommunistisch gesinnten Großrussen für sich zu gewinnen. Es schien Rückenwind zu geben. In der Zwischenzeit berichtete die *Deutsche Ukraine Zeitung* am 18. August 1942 über die antikollektivistische Agrarpolitik östlich des Dnjepr. Dies war der Weg, um eine breite Koalition zu erreichen. In Winniza, außerhalb des Fürhrerbunkers und weit weg von Hitler, wurde geplant, durchdacht, abgewogen und bedacht. In der Zwischenzeit befanden sich seit September 1942 etwa 800.000 bis 900.000 sowjetische Einwohner unter deutschen Waffen. Alles ohne Hitlers offizielle Erlaubnis, möglicherweise sogar ohne sein Wissen über die Zahlen. Die neue Wlassow-Initiative könnte der entscheidende Faktor sein. Nicht zufällig veröffentlichte Theodor Oberländer in diesen Tagen seine zweite "Denkschrift", in der er sein Engagement für die weitere Ausbeutung der deutschen Interessen in der Ukraine bekräftigte.

Chancen in der Kalmücken-Steppe

Nur einen Monat später, am 14. Oktober 1942, begann in der Kalmücken-Steppe eine deutsche "Erkundungsfahrt". Unter der Führung des Sudetendeutschen Alfred Karasek-Langer wurden die nomadischen Steppevölker, die Kalmücken, für die Teilnahme am Kreuzzug gegen den Bolschewismus mobilisiert. Die Kalmücken waren für eine Zusammenarbeit offen und wurden durch den Kader der 162. deutschen I.D. auf den deutschen Dienst vorbereitet. Für Optimisten war dies ein neuer Lichtblick. Aber auch hier gab es ein Spannungsverhältnis zwischen den Stellen, die eine Zusammenarbeit anstrebten, und jenen Kräften im deutschen Spektrum, die die Kalmücken für Deutschland ausnutzen wollten. Das "Wirtschaftskommando z.b.V. 8" und andere Stellen waren in die Steppenregion eingedrungen und hatten alles Wertvolle ausgeplündert. Es gab wenig Industrie in der Gegend, aber es wurden große Herden gesichtet. Dabei handelte es sich hauptsächlich um Schafe. Einige der Rinderherden hatte die Rote Armee nicht loswerden können und irrten unbeaufsichtigt durch das Land. Professor von Mende wies darauf hin, dass es hier Möglichkeiten gäbe. Die Kalmücken könnten für Deutschland gewonnen werden, wenn man ihnen die Freiheit gäbe.

Auch das Ostministerium (Rosenberg) und die Militärbehörden (4. Pz.Armee) teilten die Auffassung, dass das kollektivierte Land an seine Bewohner zurückgegeben werden sollte. Gleichzeitig veröffentlichte Oberländer zwei weitere "Denkschriften", die auf "historische Chancen" in den eroberten Gebieten hinwiesen.

Oberländer stellt Massaker in Taman fest

Trotz wachsender Einsicht und teilweise konstruktiver Pläne blieb die Basis all dessen, gegossen in nationalsozialistische Ideologie, sehr wackelig. Oberländer selbst war derjenige, der dies persönlich kennenlernte. Zu seinem großen Entsetzen musste er mit ansehen, wie die grausamen Methoden der deutschen Militär- und Besatzungsbehörden das fragile gegenseitige Vertrauen irreparabel beschädigten. So traf er mit seiner Einheit "Bergmann", bestehend aus Osttruppen, auf der Straße von Salawi-Janskaja nach Temrjuk, auf der Halbinsel Taman am Fuße des Kaukasus, auf lange Reihen sowjetischer Gefangener. Diese wurden im Fußmarsch zum Durchgangslager (Dulag) Nr. 183 transportiert. Entlang der Strecke fand er mindestens 200 Leichen von erschöpften Gefangenen, die von ihren deutschen Bewachern erschossen worden waren. Die Bestürzung der Mitgefangenen und der Zivilbevölkerung in der Umgebung war groß. Die Bewohner kamen verständlicherweise zu dem Schluss, dass es zwischen Hitler und Stalin offenbar kaum einen Unterschied gab.

Oberländer schrieb verärgerte Briefe, konnte aber an dieser Kadaverdisziplin in der deutschen Armee nicht viel ändern. Auf diese Weise fraß sich das System von innen heraus. Dieser innere Fäulnisprozess wurde durch schmerzhafte Entwicklungen an der Front noch verstärkt. Die Operation "Blau" hatte die deutsche Heeresgruppe Süd bis an die Wolga geführt, aber die Rote Armee hielt sich hartnäckig an den Ufern der Wolga bei Stalingrad. Die deutsche 6. Armee unter General Paulus erodierte langsam und ihre langen Flanken wurden durch Koalitionskräfte aus Ungarn, Rumänien und Italien geschlossen.

Die langen Flanken, die von schwachen Verbündeten verteidigt wurden, boten der Roten Armee eine einzigartige Gelegenheit. Die Frontlinien wurden durchbrochen und im November 1942 war Stalingrad umzingelt. Deutsche Rückzugsversuche mit einem Trio von Panzerdivisionen und rumänischer Infanterie aus Kotelnikowo scheiterten kläglich. Im Januar/Februar 1943 ging Pauls 6. Armee im "Kessel" unter. Ein paar tausend Hiwis teilten das Schicksal mit den deutschen Soldaten in der Stadt. Für sie gab es keine Gnade.

Stalingrad bietet Wlassow Chancen

Wie bei jedem Rückschlag wurden die Deutschen gegenüber ihren slawischen Verbündeten etwas nachgiebiger. Wlassow erhielt in den Kampfschäden von Stalingrad Raum, seine Pläne in der so genannten Smolensker Proklamation vorzustellen. Diese warb für eine deutsch-slawische Zusammenarbeit und wurde über Millionen von Flugblättern an den Fronten verteilt. Wlassow begab sich an die Front, um hinter seiner eigenen Linie Propaganda zu verbreiten. Zu diesem Zweck wurde Wlassow am 25. Februar 1943 in Berlin abgeholt, um sich der Heeresgruppe Mitte anzuschließen.

Trotz Wlassows Bemühungen wurden die Deutschen zunehmend pessimistischer, was die Chancen anging. In einem internen deutschen Bericht vom 26. April 1943 wird offen davon gesprochen, dass "die Wlassow-Karte" einfach zu spät gespielt worden sei. Auch die Moral der sowjetischen Freiwilligen auf deutscher Seite war ins Wanken geraten. Dem Bericht zufolge hing die Moral von der Qualität des deutschen Befehlshabers ab, und nicht jeder Offizier war dieser Aufgabe gewachsen. Dem Bericht zufolge, der von der "Gruppe Wagner", dem Brigade-Stab oder der Brigade Stab 18 erstellt wurde, waren die Freiwilligen nur deshalb bei den Deutschen, weil es in der Roten Armee "noch schlimmer" war. Berichte über Diebstahl, Trunkenheit und Desertion nahmen zu.

Der Sommer 1943 war für Nazi-Deutschland von großer Bedeutung. Im Allgemeinen waren die Deutschen im Sommer in der Offensive und die Russen im Winter. Hitler konzentrierte seine Kräfte für die Operation "Zitadelle", die sich gegen den großen Frontbogen der Sowjets um die Stadt Kursk richtete. In diesem Gebiet hatte Stalin 40 Prozent seiner Feldarmee konzentriert. Dies bot den deutschen Strategen eine große Chance. Die deutschen Generäle wurden zu Hitler gerufen, der sie mit der Bedeutung der bevorstehenden Schlacht überschüttete. Parallel dazu begann eine große Propagandaoffensive, die Operation "Silberstreif".

Diese Operation stand vollständig im Licht der besorgniserregenden Kriegssituation. Nicht nur war die Lage um 'Zitadelle' angespannt, sondern auch das Fremde Heer Ost hatte einen warnenden Bericht über die sowjetische Kriegswirtschaft vorgelegt. Die Gefahr drohte nun an allen Fronten. Der "Silberstreif" ist eine Propagandakampagne direkt an der Front, bei der die Wlassow-Initiative eine zentrale Rolle spielt. Unter der Leitung von Oberst Krause und Major Dr. Schäfer waren diese Pläne ausgearbeitet worden. Wlassow sollte eine "russische" Alternative zu Stalin bieten. Die "Zitadelle" sollte die militärischen Karten verschieben, und auch die gerade entdeckten Massengräber bei Katyn wurden propagandistisch genutzt. In diesen Wäldern bei Smolensk waren Tausende von polnischen Offizieren von Stalin ermordet worden, und die Deutschen hatten diese Massengräber gefunden. Die internationale Presse wurde eingeschaltet, um den verbrecherischen Charakter des Kreml-Regimes aufzuzeigen. Stalin leugnete mit aller Macht, was bis zur Ära Jelzin-Gorbatschow andauern sollte.

Die neuen Mobilisierungen an allen Fronten in den besetzten Gebieten der Sowjetunion fanden auch in anderen Teilen der von Nazideutschland besetzten Gebiete ein Echo. In Bosnien machen sich die deutschen Behörden die antikommunistische Stimmung der dortigen Islamisten zunutze. Am 4. Mai 1943 wurde der so genannte "Winkler-Bericht" erstellt, in dem das "politische Tief" der Bosnier kartiert wurde. Dies sollte die erste Aktion sein, um nicht nur islamistische Kaukasier, sondern auch Balkan-Muslime zu rekrutieren, was in den Divisionen "Prinz Eugen", "Handschar", "KAMA" und anderen tatsächlich geschehen sollte.

Im Juli und August 1943 fand die Schlacht von Kursk statt. Sie wurde zu einer gewaltigen Materialschlacht, in der die Deutschen zwar an Boden gewannen, aber keinen strategischen Durchbruch erzielen konnten. Der stets zögernde Hitler hatte den Angriff lange hinausgezögert, und der sowjetische Geheimdienst war gut über die deutschen Pläne informiert. Der Höhepunkt der Schlacht fand auf den Feldern bei Prochorowka statt. Die Entscheidung kam nicht zustande, und als die westlichen Alliierten auf Sizilien landeten und Italien ins Wanken geriet, war Hitler gezwungen, seine Waffen-SS-Divisionen von der Front abzuziehen und sie überstürzt nach Süden zu schicken. Hitler ordnete an, die "Zitadelle" "vorübergehend" zu stoppen, was nicht darüber hinwegtäuschen konnte, dass die Chancen Deutschlands für 1943 vorbei waren.

Der mühsame Weg zu den Feldern von Prochorowka

Die Rückschläge kamen Wlassows Propagandaarbeit nicht zugute. Auch die Realität vor Ort blieb widerspenstig. So gab es einen Warnbericht der 15. Felddivision der Luftwaffe vom 1. Juni 1943, in dem vor der Misshandlung der sowjetischen Zivilbevölkerung gewarnt wurde. Dies machte auch die Hiwis unzuverlässiger. Das Dokument der Division riet den Truppen auch, die Hiwis im Auge zu behalten und ein Entfernen aus der Truppe - eine versuchte Desertion - sofort zu melden.

Inzwischen war auch Hitler und seinem unmittelbaren Umfeld klar geworden, wie strukturell die Abhängigkeit von den Hiwis geworden war. Bei einer Besprechung auf dem Berghof am 8. Juni 1943, an der Hitler, Keitel und Zeitzler teilnahmen, wurde festgestellt, dass die Zahl der Hiwis zu diesem Zeitpunkt etwa 220.000 Mann betrug. Als Hitler dies in Frage stellte, bemerkte Zeitzler in einem seltenen Moment des Realismus, dass man bei der Artillerie wohl kaum die Kanoniere 4 und 5 ausschalten könne, weil sie Hiwi seien.

Aus einem Stenogramm der Sitzung vom 8. Juni geht hervor, dass auch die Position der Sowjets und der Wlassow-Armee auf der Tagesordnung standen. Mit großer Verspätung war die Bedeutung der sowjetischen Absprachen zum Thema geworden. Eine der Folgen des Berghof-Treffens war, dass zumindest am 15. Juni 1943 in den Kriegsgefangenenlagern wieder aktiv rekrutiert wurde. Die Lebensbedingungen in den Lagern waren so schlecht, dass die Begeisterung, als Hiwi zu arbeiten, groß war. In der Zwischenzeit wurde die geistliche Betreuung in der 162 (türkischen) I.D. intensiviert und dem Islam mehr Raum gegeben. Theodor Oberländer unterstützte diese Initiativen in einer neuen Denkschrift. Ralf von Heygendorff, der den Osttruppen und der 162 (Türkischen) I.D. angehörte, verfasste außerdem eine neue Denkschrift "über die wehrgeistige Führung der Legionäre", wie deutsche Offiziere mit den Osttruppen umgehen sollten.

Das Jahr 1943 war seit dem Berghof-Treffen von zahlreichen Initiativen, Denkschriften und internen Vermerken geprägt, die auf eine erfolgreiche Integration der Osttruppen abzielten. Das Führerhauptquartier schwankte immer noch zwischen Toleranz und interner Abneigung, was die Aufgabe nicht leichter machte. Dabei übten auch die langsam zurückkehrenden Möglichkeiten an der Front einen mäßigenden Einfluss auf den Erfolg der Zusammenarbeit aus.

Im Juli 1943 gab es Warnmeldungen der 256 I.D. über die Funktionsunfähigkeit der Hiwis. Auch die bewaffneten Sowjets auf deutscher Seite wurden durch die Bedingungen an der Front und die zunehmende Partisanentätigkeit im Hinterland zunehmend auf die Probe gestellt. So operierte die 256 I.D. als Teil des XVII. Korps im Juli 1943 im Raum Potschinok und das Ost-Bataillon 229 wurde bei den Kämpfen schwer geprüft. Inzwischen machte auch das Wirtschaftsamt “Jagd” auf die Hiwis und Osttruppen. So wählte die 2. Armee Arbeiter für das “Eisen und Stahl Programm” aus, um mehr deutsche Arbeiter für die Front freizusetzen. Ein erster Versuch wurde mit dem Bau-Pi Bataillon 9 gestartet. Parallel dazu wurde die 162 (Türk) I.D. am 15. August 1943 um ein drittes Regiment erweitert.

Für das Jahr 1943 lässt sich feststellen, dass es zu wenig, zu spät und zudem halbherzig von Seiten des OKW war. Der Ton der internen Berichte war inzwischen sehr ernst geworden. So heißt es in einem Bericht der Heeresgruppe Nord vom 12. September 1943 schlicht: “Russland kann nur von Russen erobert werden! In der Tat wurde hier Wlassow zitiert. Die Heeresgruppe Nord plädierte daher dafür, der Trikolore Weiß-Blau-Rot des alten Russlands Raum zu geben, um die Mobilisierung des besetzten Russlands gegen Moskau in Gang zu bringen.

Die letzten Monate des Jahres 1943 bewegten sich zwischen guten Absichten und unruhiger Realität. Der Druck an den Fronten nimmt zu - im Osten bewegt er sich zurück in Richtung Dnjepr. Der Kuban-Brückenkopf wird geräumt und die Deutschen auf der Krim stehen unter Druck. Das Korück litt zunehmend unter Sabotageakten, auf die die deutsche Führung mit Terror zurückschlug. Dies setzt die deutsche antisowjetische Politik unter Druck. So musste die XXXV. Armee am 12. Oktober wegen der Aktivitäten von Partisanen und der ihnen von der Bevölkerung angebotenen Hilfe strenge Maßnahmen gegen die Zivilbevölkerung im besetzten Gebiet ergreifen. Es wurden Geiseln genommen und Exekutionen vollzogen. Die 24 Pz.D. meldete im November Desertionen von Hiwis, die in der Division dienten. Die sowjetische Propaganda spielte dabei ebenso eine Rolle wie die Aktivitäten des Nationalkomitees Freies Deutschland, einer Widerstandsbewegung, die sich aus gefangenen deutschen Soldaten zusammensetzte, die nun für die kommunistische Seite arbeiteten.

Himmler entdeckt die Möglichkeiten der Zusammenarbeit

AB 1944 tritt die Geschichte der Osttruppen in eine neue Phase ein. Inzwischen hatte auch die SS verstanden, dass in der Mobilisierung der Osttruppen die Antwort auf die Probleme des fortschreitenden Krieges lag. Infolgedessen fischte der Reichsführer-SS Heinrich Himmler zunehmend im selben Teich wie das Heer. Die Folge waren aggressive Rekrutierungspraktiken durch sowjetische Kollaborateure. Dies geschah in Polen, wo SS-Anwerber vor den Kasernen der Osttruppen standen und Freiwillige für die Armee abwarben. So wurde am 7. Januar 1944 berichtet, dass Soldaten des Türkenbataillons 786 in Warschau von SS-Anwerbern aufgegriffen wurden. Für die Landstreitkräfte waren diese Soldaten plötzlich verschwunden und wurden als Deserteure betrachtet, mit all den damit verbundenen Problemen.

Himmlers SS lief derweil auf Hochtouren. Prof. von Mende vom Ostministerium wird hinzugezogen, ebenso wie der General der Osttruppen in Lötzen, Oberstleutnant Herre. Im SS-Hauptamt setzte Gottlob Berger den Osttruppen-General Hellmich unter Druck. Bereits am 12. Januar 1944 führte dieses energische offensive Vorgehen zu dem Plan, in Polen im Raum Lublin eine "muselmanische SS-

Division" aufzustellen. Diese stand unter der Aufsicht des Höheren SS- und Polizeiführers SS-Gruppenführer Jacob Sporrenberg. Dem energischen Sporrenberg wurde befohlen, sich "nicht von der Bürokratie abschrecken zu lassen". Es war also Eile geboten. Noch am selben Tag wird ein Name für die neue Einheit aus dem Hut gezaubert: "Neu Turkestan".

Die Aufstellung von "Neu Turkestan" war ebenso überstürzt wie chaotisch. Am 24. Mai 1944 beschließt Himmler im Eiltempo, dass die Einheit den Status einer Division erhalten soll, obwohl sie in Wirklichkeit noch gar nicht fertig ist. Heereseinheiten, wie die Osttruppeneinheit I/94, wurden geplündert, um die Einheit im Eiltempo zu besetzen. Himmlers Vertrauter Alfred Erdmann versuchte unterdessen, krimtatarische Einheiten in die SS zu überführen. Am 7. Juni, kaum einen Monat nach dem Divisionsstatus von "Neu-Turkestan", sprach die SS bereits über den Status eines Armeekorps. Spezialisten wie Mayer-Maden wurden angeworben, um spezifische Strategien für die "Osttruppen" zu entwickeln, wobei auch der Jerusalemer Großmufti El Husseini eingesetzt wurde. Der radikale Kleriker passte mit seinem glühenden Antisemitismus perfekt in das NS-Konzept. Bei der bosnischen Waffen-SS-Division "Handschar", die Husseini besucht hatte, waren Flugblätter verteilt worden, in denen es hieß, der Prophet Mohammed sei von Juden vergiftet worden.

Die SS wird "Verbündeter" von Wlassow und die Schaffung von "Neu-Turkestan"

Während die SS schnell Maßnahmen zur Rekrutierung von hauptsächlich muslimischen Freiwilligen ergriff, unterstützte sie nun alle Arten von politischen Initiativen, die den Autonomiebestrebungen der kaukasischen Völker positiv gegenüberstanden. In der Tat verbündete sich die SS nun mit Wlassow, obwohl dieser mit der Russischen Befreiungsarmee (ROA) hauptsächlich großrussische Interessen verfolgte. Verschiedene SS-Führer überschlagen sich nun, um Himmlers neuen dringenden Befehlen Gestalt zu geben. Da sein Wunschdenken zentraler war als die Realität, kam es zu Streit und Frustration. Der SS-Offizier Hermann versuchte, Himmlers Vertrauen zu gewinnen, indem er Mayer-Maden als einen "schwimmenden Typ" darstellte. Nun war Mayer-Maden ein Mann mit weitem Horizont, der überlegte, wie Nazi-Deutschland einen antibolschewistischen Aufstand an der Südflanke der Ostfront entfachen könnte. Zu diesem Zweck reist er durch Stadt und Land. Das kam seiner praktischen Arbeit beim Aufbau von "Neu-Turkestan" in die Quere. Hermann, der eher ein "Nur-Soldat" war, griff ihn deswegen an. Hermann glaubt, dass das "Instrument E", mit dem er die Einheit meint, mehr ist als eine

Idee. Dabei glaubte er, was die Ideen anging, mehr an den Gossenmufti als an Mayer-Maden.

Praktisch wie er war, informierte Hermann Himmler im Dezember 1944, dass die islamischen Osttruppen eine Fahne benötigten. Die SS-Designer machten sich sofort an die Arbeit. Der Auftrag lautete, dass die Farbe Grün des Islam vorherrschen sollte. Außerdem bestellte die SS 50 deutsche Übersetzungen des Korans. Die Rechnung durfte an das SS-Hauptamt gehen.

Im Januar 1945 wurde die Einheit "Turkestan" verstärkt. Die Truppen wurden nun in der Umgebung von Krakau ausgebildet, und drei Bataillone waren nun fast einsatzbereit. An der Spitze standen kirgisische und aserbaidschanische Offiziere sowie ein turkmenischer Offizier. Im Lager Trawniki wurde tagein, tagaus gearbeitet. Doch neben den Fortschritten gab es vor allem disziplinarische Probleme. Die muslimischen Jugendlichen integrierten sich nicht in die lokale Bevölkerung, so dass vor allem junge Frauen belästigt wurden. Es kam zu Vergewaltigungen, was zu großen Spannungen führte. Die "turkestanischen" Soldaten wurden in den Schmuggel verwickelt. Der Leiter des SS-Hauptamtes, Gottlob Berger, wurde über die Ausschreitungen informiert und griff hart durch. Die Einheit wurde sofort zur Disziplinierung nach Juraciski in der Nähe von Minsk transportiert.

Hier versuchten sie, die Kontrolle über die "Neu-Turkestan"-Truppen wiederzuerlangen, aber in der

Praxis wurden sie dem SS-Hauptsturmführer Heinz Billig übergeben. Billig war ein sadistischer Psychopath, der nicht zögerte, eine Handgranate auf einen Freiwilligen zu werfen, der das Kennwort vergessen hatte. Exekutionen waren an der Tagesordnung. Desertionsfälle waren die Folge.

Nach diesen neuen Fiaskos schaltete sich die örtliche HSSPF von Gottberg ein. Die Osttruppen wurden sofort unter das Kommando des berüchtigten SS-Offiziers Dr. Oskar Dirlewanger gestellt, einem harten und grausamen Soldaten, der wegen Sex mit Minderjährigen vorbestraft war. Er hatte eine Bande von Wilderern angeführt, von der Himmler in seiner romantischen Stimmung annahm, dass sie sich gut als Antipartisaneneinheit eignen würde. In der Tat war Dirlewans Vorgehen oft effektiv, aber er tötete nach Belieben. Himmler nannte die Atmosphäre innerhalb der Einheit "mittelalterlich", was der Reichsführer-SS übrigens als Kompliment auffasste. Der Tiefpunkt folgte im August 1944, als die Brigade "Dirlewanger" im Warschauer Aufstand eingesetzt wurde. Als die Rote Armee vor den Toren Warschaus steht, versucht der polnische Untergrund, sich zu befreien. Die Nazis schlugen hart zurück. Das Vorgehen der "Dirlewanger" war so brutal, dass SS-Kommandeur Erich von dem Bach-Zelewski davor zurückschreckte. Der Oberbefehlshaber SS-Gruppenführer Heinz Reinefarth hielt die Einheit jedoch im Feld. Dirlewangers über 3.000 Mann, darunter zwei aserbaidschanische Bataillone, waren unverzichtbar. Dirlewangers gute Verbindungen zum SS-Hauptamt sorgten dafür, dass er weiterhin das Sagen hatte. Eine andere Einheit der Osttruppen, die Kaminski-Einheit, musste für ihr eigenwilliges Vorgehen böse bezahlen. Ihr Kommandeur Bronislav Kaminski und seine rechte Hand Ilja Stawikin gerieten in einen Hinterhalt der deutschen Behörden und wurden hingerichtet. Die Schuld wurde den polnischen Aufständischen in die Schuhe geschoben.

Die Niederschlagung des Warschauer Aufstands war nur ein kleiner Erfolg in einem großen deutschen Rückzug. Teile der Einheit "Neu-Turkestan" waren aufgrund der chaotischen Zustände gar nicht in Warschau angekommen, sondern saßen auf der Eisenbahn in Ungarn fest. Nach dem Warschauer Aufstand wurde "Neu Turkestan" in der Slowakei eingesetzt, wo im Oktober 1944 ein antideutscher Aufstand ausgebrochen war. Der deutsche Widerstand dagegen wurde von General Hermann Höfle aus Bratislava (Pressburg) geleitet. Die Turkmenen dienten nun bei der Einheit "Dirlewanger" und den Truppen des SS-Offiziers Wilhelm Hintersatz aus Brandenburg. Hintersatz war seit 1919 besser bekannt als Harun El-Rashid, da er zum Islam konvertiert war, nachdem er während des Ersten Weltkriegs unter Otto Liman von Sanders in der Türkei gedient hatte. Zusammen mit den Divisionen "Tatra", "Schill" und "Horst Wessel" wurden die slowakischen Aufständischen bald besiegt. Sie flüchteten in die Berge und ließen 4.000 Tote zurück. Danach wurde die Einheit "Neu-Turkestan" in Ungarn und in der Lombardei eingesetzt, doch zu einem wirklichen groß angelegten Fronteinsatz kam es nicht. Himmlers SS-Experiment mit den kaukasischen Völkern war zu spät eingesetzt worden, um entscheidend zu sein. Dabei konkurrierten sie vor allem mit dem Heer, was der gesamtdeutschen militärischen Lage nicht zuträglich war.

Die Division ‘Galizien’: zwischen Kriegsverbrechen und Soldatentapferkeit.

Himmlers zweite Aufgabe lag in der Ukraine. Dort hatte HSSPF Wilhelm Koppe im Februar 1944 den Befehl gegeben, dass für die Verteidigung der Ostukraine sofort eine Kampfgruppe Ukrainische SS benötigt würde. Auf Initiative von Gouverneur Dr. Otto Wächter und unter dem Kommando von SS-Oberführer Fritz Freitag begann 1943 die Ausbildung der ukrainischen SS der späteren 14. Waffen-Grenadier-Division zur SS Galizische Nr. 1 werden sollte. Die Deutschen waren selbst überrascht über den Eifer, mit dem sich die ukrainischen Jugendlichen meldeten. Es gab mehr Anmeldungen als zu vermittelnde Soldaten. Insgesamt meldeten sich rund 72.000 Freiwillige. Die Einheit wurde von direkten Vertrauten des Reichsführers-SS Heinrich Himmler geführt. Kommandant Freitag gehörte zu Himmlers persönlichem Stab und war außerdem Offizier der 1. SS-Brigade (mot.), einer Einheit im “Kommandostab Reichsführer-SS”. Diese Brigade war eng in die Einsatzgruppen eingebunden und für eine große Serie von Massakern an Juden und Kommunisten in der Sowjetunion verantwortlich.

Der Divisionsstab bestand hauptsächlich aus deutschem Fensterpersonal, wobei viele Offiziere zuvor in "Nachtigall" und "Roland" gedient hatten und daher einige Erfahrung mit Osttruppen hatten. Im Kader der Division gab es einige höchst umstrittene Offiziere, wie SS-Hauptsturmführer Heinrich Wiens, der bei der Einsatzgruppe D gedient hatte und Blut an den Händen hatte, sowie ein Stabsoffizier der Einheit 'Dirlewanger', der SS-Obersturmbannführer Franz Magall. Ukrainische Bataillonskommandeure wie SS-Hauptsturmführer Mikhaiklo Brididir und SS-Sturmbannführer Evhen Pobihuschchii hatten in Bataillonen der Schutzmannschaft Karriere gemacht. Eines dieser Bataillone, Nummer 204, hatte im Konzentrationslager Pustkow, wo sowjetische Kriegsgefangene festgehalten und seine Polen unter anderem für die V-Raketen eingesetzt wurden, Handlangerdienste geleistet. Insgesamt sollen dort etwa 15.000 Menschen ihr Leben verloren haben.

Die neue Waffen-SS-Einheit "Galizien" kam erstmals in Ostgalizien zum Einsatz. Er richtete sich hauptsächlich gegen Partisanen und war somit ein brutaler Kampf, in dem leicht Kriegsverbrechen begangen werden konnten. Per Anders Rudling beschrieb in seiner im *Journal of Slavic Military Studies* veröffentlichten Studie, wie die Einheit bei Vitsyn, Palikrowny, Malinksa und Czernicy blutige Verwüstungen anrichtete. Dies geschah etwa im März 1944. Am 16. Mai 1944, nach einer erneuten Ausbildung in Neuhammer, wurde die Einheit als Teil der Heeresgruppe Nordukraïne an die Front der 4.

Pz.Jeger beordert. Etwa 36 Kilometer westlich von Brody wurde die Einheit eingesetzt und bald in den großen deutschen Rückzug nach Westen hineingezogen. Angehörige der U.P.A., der ukrainischen Befreiungsarmee, die noch in Zivil gekleidet waren, meldeten sich freiwillig auf dem Schlachtfeld. Die unausgebildeten Truppen erwiesen sich im Kampf als hoffnungslos, und Fritz Freitag schickte sie wieder nach Hause. Die 14. SS-Division hatte tapfer um die Ruinen und die Burg Pidhirci gekämpft. Die Regimenter 24 und 30 hatten dort schwere Verluste erlitten. Nahezu der gesamte Stab des SS-Regiments 31 wurde bei Sasiw getötet. Die Überlebenden brachen in südwestlicher Richtung aus, nachdem die deutsche 8. Pz.Div. und 20. Pz.Div. hier einen Durchbruch erzwangen.

Der sowjetischen Geschichtsschreibung zufolge beliefen sich die Verluste bei Brody auf 17.000 deutsch-ukrainische Gefangene und etwa 30.000 Gefallene. Die Division bestand zu diesem Zeitpunkt gerade einmal 11 Monate und wurde innerhalb weniger Tage vollständig zerlegt und weitgehend vernichtet. Der sowjetische Vormarsch ließ sich nicht durch eine zusätzliche Waffen-SS-Division aufhalten. Die Reste der Einheit blieben jedoch und verbrachten die letzten Kriegstage in der Slowakei, wo sie zusammen mit "Dirlewanger", "Neu Turkestan" und der Waffen-Grenadier-Division "Horst Wessel" den slowakischen Aufstand niederschlugen. Der Historiker

Jan Korcek hat herausgefunden, dass die ukrainische Waffen-SS auch in der Slowakei an mindestens neun verschiedenen Vorfällen gegen die Menschlichkeit beteiligt war.

Zunehmende Desertion

Nach den Problemen innerhalb der SS wurden auch die Osttruppen in der regulären Armee immer repressiver. Hitlers treuester Verbündeter an der Ostfront, der rumänische Marschall Ion Antonescu, war zum Beispiel kein Freund der Osttruppen. Die Dokumente zeigen, dass es immer wieder zu Konflikten zwischen Deutschen und Rumänen um diese Einheiten kam. Die Rumänen zeichneten sich, wie Marschall Erich von Manstein argumentierte, durch eine irrationale Furcht vor dem großen Russland aus. Dies spiegelte sich auch in ihrer Haltung gegenüber den Osttruppen wider. Dies war für die Deutschen lästig, die diese Einheiten sowohl auf der Krim als auch später auf dem Gebiet Rumäniens im Rahmen der Zusammenarbeit an der deutsch-rumänischen Front voll einsetzten. Osttruppen und Arbeiter waren auch auf den Ölfeldern im rumänischen Ploesti voll aktiv. Antonescu verlangte, dass diese durch Rumänen ersetzt werden sollten. Im Gegenzug flüchteten die Rumänen bei jedem Luftangriff der Westalliierten. Die ukrainischen Freiwilligen arbeiteten hartnäckig weiter, ganz gleich ob Luftangriffe stattfanden oder nicht.

Auch von der 2. Armee kommen am 6. August 1944 beunruhigende Nachrichten. Die Zahl der

Desertionen nimmt zu. Auch den Osttruppen wurde immer klarer, dass sie auf das falsche Pferd gesetzt hatten. Im "Bericht über Abwehrlage bei landeseigenen Hilfskräften" stellt Oberst Machter fest, dass viele Osttruppen immer unzuverlässiger werden. Als Beispiel nannte er einen Partisanenangriff auf den Eisenbahnknotenpunkt Kliwmbow, 30 Kilometer nördlich der polnischen Hauptstadt Warschau. Dabei waren mehrere wolgatarische Einheiten auf die Seite der Partisanen übergelaufen. Sie hatten (Maschinen-)Gewehre mitgenommen. In der Nacht vom 24. zum 25. Juli 1944 kam es in derselben Armee bereits zur Desertion bei der 3./Russ. Sich. Btl. Trotz aller Widrigkeiten setzte die Wehrmacht den Aufbau von Osttruppen fort. Am 11. Oktober 1944 waren zu diesem Zweck ständige Einheiten aufgestellt worden, aus denen Frontdivisionen hervorgehen sollten. Dies waren die Freiwilligen-Stamm Division in Freiburg, das Freiw. Stamm Rgt. 1 in Neuhammer, das Freiw. Stamm Rgt. 2 in Ohrdruf, Freiw. (UKR.) Stamm Rgt. 3 in Grafenwöhr, Freiw. (Russ.) Stamm Rgt. 4 ebenfalls in Grafenwöhr und Rgt. 5 (Kosaken) in Döllershein. Ein turkestanisches Bataillon "Arbeit und Einsatz" diente in Neuhammer. In Ohrdruf wird eine turkestanische Offiziersausbildungseinheit aufgestellt. Am 12. Oktober beginnt die Imam-Ausbildung innerhalb der Wehrmacht. In den so genannten "Mitteilungen" vom 19. November 1944 wurden die wichtigsten Punkte für deutsche Offiziere in Bezug auf die Osttruppen wiederholt, und zwar am 3. März 1945 und am 25. März 1945. Zu diesem Zeitpunkt war bereits völlig klar, dass der gesamte Plan mit den Osttruppen völlig gescheitert war.

Wlassows später Triumph im Schloss Hradschin

Der Untergang der Wlassow-Armee war der beste Beweis für diesen Misserfolg. Die deutschen Behörden hatten Wlassow lange klein gehalten, weil bestimmte Kreise auf deutscher Seite befürchteten, dass er sich zu einer Art Staatsoberhaupt entwickeln würde; aber der von den Deutschen gewählte Mittelweg funktionierte komischerweise nicht. Das Propaganda-Offensive von Wlassow in der Heeresgruppe Mitte war daher gescheitert und die Zeit lief ab. Wie durch ein Wunder war es übrigens die breit angelegte Propaganda der SS, die Wlassows Botschaft weiter bekannt machte. Die SS hatte eine besondere Stellung im Dritten Reich und konnte sich manchmal Dinge erlauben, vor denen andere Stellen zurückschreckten. Die SS begann verzögert mit den Osttruppen, zeigte jedoch Entschlossenheit, als sie schließlich in Bewegung kamen. Die späte Einsicht in der SS ebnete den Weg für den endgültigen Aufbau der Wlassow-Bewegung um fünf vor zwölf zum Ende des Dritten Reiches. Von Berlin aus stand Wlassow fieberhaft in Kontakt mit seinen Untergebenen, und am 4. November 1944 trafen sich seine Vertrauten Tschekalow, Scherebkow und Meandrow in Prag, wo Vorbereitungen für Wlassows politischen Auftritt getroffen wurden. Zwei Tage später, am 13. November, traf der "Sonderzug" mit Wlassow und einigen Mitstreitern ein. Wie sehr sich die Zeiten geändert hatten, zeigte sich daran, dass eine deutsche Ehrenwache am Bahnhof bereitstand, die dann von Wlassow inspiziert wurde. Der deutsche Militärkommandant von Prag, General Rudolf Toussaint, erschien. Anschließend wurde Wlassow im Czernin-Palast von SS-Obergruppenführer und Staatsminister Karl Hermann Frank mit allen Ehren empfangen. Es war "ein später Triumph" für die Russen, wie Wlassows Biograph Sven Steenberg zu Recht feststellte. Wlassow wurde im Alcrow-Hotel untergebracht, wo er noch eine Begegnung mit dem General der Osttruppen Ernst Köstring hatte. Trotz der deutschen Demut führte dieses Treffen zu nichts. Bis dahin hatte Köstring nichts für Wlassow getan, weil seine Position nicht anerkannt war. Jetzt, wo dies möglich war, hatte Köstring immer noch Angst vor dem "nationalen Charakter" der Wlassow-Bewegung. Köstring war nicht in der Lage, über seinen eigenen Schatten zu springen. Diese Zurückhaltung konnte Wlassow nicht davon abhalten, am 14. November im Spanischen Saal des Hradschin seine Proklamation feierlich zu verkünden. In dieser so genannten Prager Proklamation rief Wlassow zum Sturz Stalins auf, sprach sich auch für eine Zusammenarbeit mit Deutschland aus, betonte aber auch, für die russische nationale Sache einzustehen. Anwesend waren Hermann Frank, SS-Obergruppenführer Werner Karl Otto Lorenz, Leiter der Interessengemeinschaft der Volksdeutschen, der so genannten Volksdeutschen Mittelstelle (VoMi), sowie weitere Honoratioren und die Presse. In seiner Rede bezeichnete Lorenz Wlassow als "Freund und Verbündeten Deutschlands".

Das Prager Manifest war der Startschuss für das so genannte KONR, das Komitee zur Befreiung der Völker Russlands. Die Proklamation wurde in einer speziellen Zeitschrift, der *Wolja Naroda* (Falle), gedruckt, und die Flugblätter wurden zu Hunderttausenden hinter den sowjetischen Linien und tief in der Sowjetunion von deutschen Flugzeugen abgeworfen.

Der Samen der Wahrheit ist gesät und wird Früchte tragen

Wenn man diese späte Initiative betrachtet, kann man leicht skeptisch und ungläubig werden, aber für Wlassow und seine Anhänger war die Anti-Stalin-Proklamation eine ernste Angelegenheit. Der Samen der Wahrheit ist gepflanzt und wird Früchte tragen", sagte Wlassow zu seinen Mitarbeitern. Im Kriegsgefangenenlager wurden dann eifrig neue Soldaten rekrutiert. In der russischen Kathedrale in Berlin wird ein besonderer Gottesdienst für die KONR-Initiative abgehalten.

Wlassow und seine Offiziere kamen auf kreative Ideen. Eine davon bestand darin, Kontakt zu ukrainischen Nationalisten, den Truppen der UPA, aufzunehmen, um hinter den russischen Linien Widerstand aufzubauen. Dabei erinnerten sie sich an den ukrainischen Aufstand kurz nach dem Ersten Weltkrieg, bei dem sich Bolschewiken und ukrainische Milizen bis aufs Blut bekämpften. Die Deutschen unterstützten diese Initiative, und Hauptmann Witzel (Pseudonym Kirn) wurde mit einem Fallschirm hinter den sowjetischen Linien abgesetzt, um als Verbindungsmann zu fungieren. Witzel konnte berichten, dass die Stärke der UPA-Kräfte beträchtlich war.

In der Zwischenzeit arbeitete Wlassow auch daran, seine Armee so weit wie möglich auszubauen. Er war sich bewusst, dass der Pakt, den er mit den Nazis geschlossen hatte, hauchdünn und aus der Not geboren war. Je mächtiger er wurde, desto selbstständiger würde er handeln können. Er knüpfte Verbindungen zu so vielen Osttruppen wie möglich, die über die Fronten verstreut waren.

In der Praxis werden nun neue Divisionen aufgestellt. Hier erwies sich Köstring als produktiv, denn er rekrutierte Oberst Herre, einen erfahrenen Kommandeur, der zu dieser Zeit bei der 323. deutschen Infanteriedivision in Norditalien stationiert war. Als seine rechte Hand wählte er Major Keiling, einen hoch angesehenen Offizier. Sie waren maßgeblich an der Aufstellung der ersten "russischen" Divisionen beteiligt: der 600. und der 650.

Die 600. Division war die erste Division der Russkaja Oswobodennaja Armija (ROA), der Russischen Befreiungsarmee, die auf dem Truppenübungsplatz Müsingen stationiert war. Für die Einheit wurden Truppen aus der gerade gegründeten 29. Waffen-Grenadier-Division der SS (Russ. Nr.1, die alten Kaminski-Truppen) sowie aus verschiedenen russischen und ukrainischen Einheiten, die bereits im Einsatz waren. Aus diesen wurden die Regimenter 1601, 1602 und 1603 aufgestellt. Die Ausbildung der Einheiten sollte bis Februar 1945 dauern. Die Division 650, die etwas später aufgestellt wurde, umfasste die Regimenter 1651, 1652 und 1653.

Die Aufstellung fand auf dem Truppenübungsplatz Heuberg statt, später wurde die Einheit nach Münsingen verlegt.

Die Aufstellung der neuen Einheiten, insbesondere der alten Kaminski-Truppen, die zuvor in Warschau für Ärger gesorgt hatten, erregte einiges Aufsehen. Die Gestapo warnte vor Gehorsamsverweigerung, und das Ostministerium des Nazi-Ideologen Alfred Rosenberg fühlte sich übergangen und leistete allen möglichen Widerstand. So wurde beispielsweise der Gesandte des Außenministeriums bei Wlassow, Diplomat Hilger, vom Ostministerium verdächtigt und der "bolschewistischen Sympathien" bezichtigt. Nicht nur Wlassow wurde jetzt also behindert, auch die deutschen Behörden wandten sich gegeneinander. Die Rückendeckung durch den mächtigen Reichsführer-SS Himmler kam Wlassow daher sehr gelegen.

Die "Brutstätte" der Sowjetbürger in deutscher Hand

Während die Ausbildung der Wlassow-Truppen in Münsingen in vollem Gange war, arbeiteten das KONR und das Statistische Bundesamt zusammen, um den "Nährboden" der Sowjetbürger in deutscher Hand so gut wie möglich zu erfassen. Der Leiter des OKH-Büros, Oberst Kurt Passow, rechnete dem KONR vor, dass sich noch Millionen sowjetischer Männer in deutscher Hand befänden. Dazu gehörten 6 bis 7 Millionen Ostarbeiter, 1,2 Millionen Kriegsgefangene und etwa 1 Million Hiwis und Freiwillige. Dies war ein riesiges Potenzial. Um daraus eine Armee zu rekrutieren, waren jedoch finanzielle Mittel erforderlich. Am 17. Januar 1945 schloss das Deutsche Reich mit dem KONR einen Finanzvertrag über Darlehen, die nach der Eroberung Russlands zurückgezahlt werden mussten. Ein gewisser Optimismus konnte der deutsch-konarischen Zusammenarbeit nicht abgesprochen werden, zumal die sowjetische Offensive an der Weichsel bereits begonnen hatte. In Ungarn ist die Belagerung von Budapest in vollem Gange und im Westen ist die Ardennenoffensive gescheitert. Dennoch war dieses Finanzabkommen das einzige offizielle Dokument zwischen dem Deutschen Reich und dem KONR und daher von großer symbolischer Bedeutung. In jedem Fall spiegeln die Maßnahmen die Haltung der SS gegenüber ihren neuen Verbündeten wider. Wer von nun an Russen schlägt, kommt ins KZ", hatte Himmler sarkastisch bemerkt, als er hochmütige Abneigung gegen die Wlassow-Initiative feststellte. Infolge dieser Entwicklung wurde Wlassow am 28. Januar 1945 zum Befehlshaber der Befreiungsarmee ROA ernannt, womit diese Einheiten erstmals nicht mehr dem OKW unterstanden, sondern auf sich selbst gestellt waren.

In den folgenden Tagen fanden abwechselnd Gespräche zwischen den Inspektoren der militärischen Ausbildung und den deutschen Behörden und ROA statt. Luftwaffengeneral Heinrich Aschenbrenner, der eigens als deutscher Vertreter bei den Osttruppen-Luftstreitkräften ernannt worden war, hielt den Kontakt zu Wlassows Luftwaffenbeauftragtem Malzew. Aschenbrenner war der richtige Mann für diese Aufgabe; als ehemaliger Luftwaffenattaché an der deutschen Botschaft in Moskau war er ein erfahrener Diplomat. Zwischendurch wurde Wlassow in Karinhall empfangen, der bewaldeten Residenz von Luftwaffenchef Hermann Göring, die noch von Werner March gebaut worden war, demselben Mann, der das Olympiastadion in Berlin für die Spiele 1936 realisiert hatte.

Wlassow nutzte diese Kontakte, um den raschen Ausbau der ihm unterstellten Streitkräfte weiter voranzutreiben. Von großer Bedeutung waren die Kosakenverbände, die an mehreren Fronten, vor allem aber in Jugoslawien, auf deutscher Seite kämpften. Die Kosaken hatten eine beeindruckende militärische Tradition und leisteten auch auf deutscher Seite Hervorragendes. Dies war nicht nur als Besatzungstruppen gegen Titos Partisanen der Fall, sondern auch gegen reguläre Truppen der Roten Armee. Unter der inspirierenden Führung des illustren Kommandeurs Helmuth von Pannwitz, der in Sibirien geboren wurde und aus einem preußischen Adelsgeschlecht stammte, waren seine Einheiten zur XV. SS Kosaken Kav. Korps. Die Einheiten waren ursprünglich als Heeresverbände gegründet, aber von der Waffen-SS übernommen worden. Der Wunsch Wlassows, von Pannwitz' Truppen unter seine Fittiche zu nehmen, war auch für die SS ein Streitpunkt. In Konkurrenz zum Heer wollte Himmler, wie auch Wlassow, so viel wie möglich wachsen.

Das Hauptquartier von Wlassow wurde nach Karlsbad in der Tschechischen Republik verlegt, wo man nicht sehr freundlich empfangen wurde. Sie quartierten sich im Hotel "Richmond" ein, doch Gauleiter Konrad Henlein erklärte, er sei "not amused" und drohte, die Russen mit dem "Volkssturm" aus dem "Sudetengau" zu vertreiben. Alte Gewohnheiten sind schwer zu verlernen.

Dennoch war die 1. Division der ROA am 16. Februar 1945 einsatzbereit. Zu diesem Anlass hatte Köstring Wlassow besucht, um diesem Moment Glanz zu verleihen. In seiner Rede verwies Wlassow auf sein Treffen mit Himmler, bei dem der Reichsführer-SS Wlassow versichert hatte, dass die alten Probleme der Vergangenheit angehörten und ein Neuanfang gemacht worden sei.

Himmler testet "seine" Russen an der Oder

DIE Unterstützung durch Himmler hatte ihren Preis. Bald erhielt Wlassow den Befehl, die neue Division einzusetzen. Das war die Stunde der Wahrheit. Himmler war Kommandeur der Heeresgruppe Weichsel geworden und jeder Soldat wurde eingesetzt. Hitler hatte seine Zweifel und erklärte, die Zukunft sei einfach: "Entweder die Division taugt oder nicht", ließ er in einer Stabsbesprechung vom 27. Januar 1945 verlauten. Es sollte entweder eine 'reguläre' Division werden oder "eine Idiotie". Wlassow war sehr darauf bedacht, zu beeindrucken. Unter dem Kommando von Oberst Igor Sacharow wurden spezielle Stoßtrupps gebildet, die mit Sturmgewehren und Panzerfäusten ausgerüstet wurden. Am 9. Februar 1945 wurde die Einheit an der Nahtstelle zwischen zwei sowjetischen Divisionen eingesetzt. Dabei wurde eine sowjetische Panzerabwehrkanonenbatterie zerstört. Interne Berichte der Heeresgruppe Weichsel berichteten, dass die ROA-Russen eine bemerkenswert gute Moral hatten und sehr viel optimistischer waren als die inzwischen demoralisierten deutschen Truppen. Die Deutschen setzten Sacharows energische Truppen als Rammbock (Kulak) ein, hinter dem die Deutschen vorrücken konnten.

Der Einsatz der Wlassow-Truppen war nicht unbemerkt geblieben. Joseph Goebbels, der nationalsozialistische Propagandaminister, schrieb in sein Tagebuch, dass die Russen "eine großartige Arbeit" geleistet hätten. Der deutsche General Wilhelm Berlin, Kommandeur der deutschen 227 I.D., war persönlich gekommen, um den russischen Offizieren auf dem Schlachtfeld bei Wriezen zu danken. Bei ihrem Angriff hatten die ROA-Soldaten die Stadt Neu-Lewin von der Roten Armee zurückerobert. Auch Himmler war überzeugt und berichtete am 9. Februar 1945 an Hitler, dass er die Ostfront "ständig mit russischen Einheiten verstärkt" haben wolle. Es war eine halluzinierende Situation.

Nach dem Erfolg wurde geprüft, wie die richtige Folgestrategie aussehen sollte. Der Chef der Operationsabteilung, Oberstleutnant I.G. De Mazière, wies darauf hin, dass es wichtig sei, die ROA-Truppen weiter auszubilden, damit ihr Einsatz nicht scheitern würde. Zu diesem Zweck wurde die 1. ROA-Division mit der Bahn nach Pasewalk transportiert, wo die Einheit im Hinterland der 3. Pz.leger von Manteuffel stationiert wurde. Hier leisteten die Truppen sowohl Wachdienst als auch Ausbildung.

Mitte März wurde unter dem Decknamen "Verteidigung von Berlin" eine deutsche Offensive gegen das 61. sowjetische Schützenkorps zwischen Frankfurt und Küstrin am Ostufer der Oder vorbereitet. Die ROA-Division sollte dabei militärisch eine begrenzte Rolle spielen, doch wurde eine große psychologische Wirkung erwartet. Die Hauptlast des Präventivangriffs sollte von der 25. Pz.Gren.D. und der Führergrenadierdivision getragen werden.

Der Angriff wurde schließlich am 27. März 1945 gestartet. Eine Handvoll deutscher Divisionen stürmte auf Küstrin zu, aber bereits am 28. März musste das OKW feststellen, dass die Offensive ins Stocken geraten war. Am nächsten Tag meldete das Tagebuch des OKW, dass die Rote Armee bis ins Zentrum von Küstrin vorgedrungen war. Die ROA-Truppen waren bei diesen Kämpfen kaum zum Einsatz gekommen.

Schwermütig in die Schlacht beim Erlenhof

Om 8. April 1945 war Wlassow zu einem Frontbesuch bei den Truppen. Die Lage ist mehr als angespannt. Die deutschen Pläne, die Rote Armee dauerhaft östlich der Oder zu halten, erwiesen sich als unrealistisch. Wlassow befürchtete eine Zersplitterung der Russischen Befreiungsarmee. Dies brachte ihn in eine schwierige Lage gegenüber den Frontkommandanten. Insbesondere die bereits eingesetzte 1. ROA-Division wollten die deutschen Befehlshaber unbedingt behalten. Wlassow wählte einen Mittelweg: Die ROA-Division stand für einen kurzen Einsatz mit einem begrenzten Ziel und Zeitrahmen zur Verfügung und sollte sich dann der Befreiungsarmee anschließen.

Die Deutschen stimmten zu, und die ROA-Truppen wurden um den sowjetischen Brückenkopf "Erlenhof" zusammengezogen. Dieser Brückenkopf, der von gut ausgebildeten sowjetischen Gardetruppen verteidigt wurde, bildete ein geordnetes Ziel. Der Brückenkopf war bereits durch Angriffe des deutschen Fahnenjunkerregiments 1233 bedrängt worden, und die ROA-Truppen sollten ihm den Todesstoß versetzen. Generalmajor Bunjacenko von der Befreiungsarmee hatte sich ein Bild von der Lage gemacht und forderte umfangreiche Artillerie-

und Luftunterstützung für die Operation. Er sprach von einer "hurrikanartigen Vorbereitung" wegen des Einsatzes von rund 28.000 Granaten. Angesichts des damaligen Munitionsmangels bezeichnete der Chronist der Wlassow-Armee, der Historiker Joachim Hoffmann, die Forderung Bunjacenkos als "exorbitant". Eine weitere Forderung der ROA-Führung war, dass die Russen den Angriff allein, d.h. ohne deutsche Hilfe, durchführen sollten. Dies würde im Falle eines Erfolges den Wlassow-Kräften die alleinige Verantwortung zuschreiben.

Wie wichtig die Deutschen diesen Einsatz - auch politisch - einschätzten, zeigte sich daran, dass die Deutschen allen Bedingungen zustimmten, auch dem massiven Artilleriebeschuss. Major I.G. Schwenningen war nach dem Krieg rückblickend der Meinung, dass die ROA-Truppen von Deutschland hervorragend ausgerüstet worden waren. Die unmittelbaren Vorbereitungen wurden von Bunjacenko und dem Kommandeur des deutschen Fahnenjunker-Regiments bei einem üppigen Frühstück nach russischer Art getroffen. Sie wollten einen Frontalangriff über die nassen offenen Felder vermeiden, und der Schlachtplan sah ein zweiseitiges Aufrollen vor. Die Fahnenjunker sollten sich nicht an dem Angriff auf den Erlenhof beteiligen, sondern die sowjetischen Truppen mit einem Scheinangriff ablenken. Das Ganze erhielt den Operationsnamen "Unternehmen Aprilwetter". Die Operation beginnt am 13. April 1945 mit Artillerieunterstützung durch mehrere Batterien, darunter das SS-Artillerieregiment 32.

Am Abend des 12. Dezember nahmen die ROA-Kämpfer ihre Stellungen ein. Die Parole der Truppe lautete “Gajl Wlassow” (Heil Wlassow). Am 13. April begann um 04:45 Uhr der Artilleriebeschuss bei “Aprilwetter”. Die sowjetischen Stellungen und Anlagen an der Oder wurden mit einem Feuerregen belegt. Oberstleutnant Von Notz, der als deutscher Beobachter bei der ROA diente, konnte sich nicht daran erinnern, je zuvor ein derart groß angelegtes Bombardement erlebt zu haben. Die Atmosphäre war angespannt, die Zukunft der Wlassow-Initiative stand teilweise auf dem Spiel. Die ersten Anzeichen waren hoffnungsvoll. Sowohl auf der Nord- als auch auf der Südseite war der Durchbruch der ROA gelungen. Sowjetische Bunker und Stellungen wurden überrannt. Gegen Mittag wurde der sowjetische Widerstand hartnäckiger. Die Luftwaffe und die ROA-Luftstreitkräfte mischten sich mit 26 Flugzeugen in den Kampf ein.

Trotz dieser Unterstützung sahen sich die ROA-Truppen in einem endlosen Netz von Stacheldrahtverhauen gefangen und standen zudem unter mörderischem Artilleriebeschuss, der sie von den Flanken her bedrohte. Der ROA-Kommandeur Bunjacenko, der sich zunächst gegen den gesamten Plan gewehrt hatte, aber nach den deutschen Hilfszusagen überzeugt worden war, verlor nun den Glauben an die Operation “Aprilwetter”. Wahrscheinlich spielte dabei die Tatsache eine Rolle, dass Bunjacenko ein Blutbad voraussah, was im Widerspruch zu der mit den Deutschen vereinbarten "kurzen, begrenzten Operation" stand. Der schlaue Bunjacenko, so der Historiker Joachim Hoffmann, schaffte es, seine 20.000 Mann mehr oder weniger unbeschadet aus der Operation herauszubringen, so dass ein Wiedersehen mit dem Rest der Wlassow-Armee möglich wurde. Der Angriff auf den "Erlenhof-Brückenkopf" war zu einer Illusion geworden. Die Wlassow-Initiative befand sich wieder einmal in einer schwierigen Phase.

Wlassow sammelt seine Truppen in der Nähe von Prag

Nach Aprilwetter' folgte eine wundersame Entwicklung. Bunjacenko gelang es, seine Infanteriedivision Hunderte von Kilometern durch das verwüstete Europa zu bewegen, um sie mit den anderen Einheiten Wlassows in der Nähe von Prag wieder zu vereinigen. Die unmittelbare deutsche Heeresleitung, General Theodor Busse, der Befehlshaber der 9. deutschen Armee, spielte eine herausragende Rolle. Er hatte die ROA-Offiziere für ihr eigenwilliges Verhalten bei "Aprilwetter" zur Verantwortung gezogen, aber Bunjacenko hatte sich nicht gemeldet. Das war eine glatte Befehlsverweigerung. Das war unerhört und Busse war ratlos, da die ROA-Division einfach abgereist war. Dass van ROA damit durchkam, wird mit dem zunehmenden deutschen Unglauben an die eigene Sache zu tun gehabt haben, aber wahrscheinlich auch mit dem Prestige und der Politik, die Wlassow umgab. Man wollte sich an dem neuen Prunkstück der Reichsführer-SS nicht die Hände verbrennen. Gewöhnliche militärische Maßstäbe galten hier nicht. Busse hielt die Weigerung der ROA, Rechenschaft abzulegen, offenbar nur für politisch erklärbar. Es gab Gespräche mit dem OKH (Oberkommando des Heeres) über die Entwaffnung der 600. Division, aber letztlich wurde auf dem Marsch nach Süden in Richtung Prag kein Widerstand geleistet.

Bunjacenkos Division machte sich auf den langen Marsch nach Süden, vorbei an Dresden, Laun, in Richtung Schlüsselburg (Lnare). Auf dem Rückzug kreuzte die 600. Division mehrere andere deutsche Einheiten. Manchmal gab es dort Notfälle, und sie konnten die Hilfe der ROA-Truppen gut gebrauchen. Aber viele deutsche Offiziere scheuten nun davor zurück und ließen die Einheit einfach passieren. Es war eine bizarre Situation.

Nach einer abschließenden Konsultation in Karlsbad arbeitete Wlassow selbst fieberhaft weiter an der Zusammenstellung seiner Einheit. Dabei wurden neue interessante Initiativen ergriffen. Über Frankreich versuchte man, mit den Westalliierten ins Gespräch zu kommen. Man versuchte auch, mit der Schweiz als neutraler Macht ins Gespräch zu kommen. Auch mit den Cetnik-Einheiten, den jugoslawischen Royalisten unter der Führung von General Draza Michajlovic, wurden Verbindungen hergestellt, um sich mit ihnen in die jugoslawischen Gebirgsregionen zurückzuziehen und abzuwarten, wie es dort weitergeht. In der ROA herrschte sowohl Angst vor Stalin als auch Besorgnis über die Deutschen. Man spekulierte auch auf einen Durchbruch zu den ukrainischen Freiheitskämpfern der UPA im Untergrund, doch letzteres war aufgrund der Frontlage unwahrscheinlich.

Eine weitere Option, die immer aktueller wurde, war ein Bündnis mit tschechischen Widerstandskämpfern. Wlassow hegte Bedenken diesbezüglich; es bedeutete Verrat an Deutschland, gerade in dem Moment, als die Deutschen so nachgiebig waren. Außerdem hielt er den tschechischen Widerstand für eine chaotische und schlecht organisierte "Kampftruppe", so dass ein Zusammenschluss militärisch sehr riskant war. Der am besten organisierte Widerstand in der Tschechischen Republik war kommunistisch orientiert, und sie misstrauten den russischen Kollaborateuren und umgekehrt.

Im April 1945 kristallisierten sich "national-tschechische" Widerstandsgruppen heraus, mit denen härtere Vereinbarungen getroffen werden konnten. Es handelt sich um eine Initiative von rechts, aus dem Polizeiapparat heraus, um Gruppen wie das "Kommando Alex" unter dem Kommando von General Slunecko, die Gruppe "Groß-Prag" und "Bartos" unter der Leitung von General Kutvasr. Eine Zusammenarbeit mit dem Prager Volksaufstand könnte einen unerwarteten Ausweg aus der misslichen Lage der Osttruppen bieten.

Claus Schenk, Graf von Stauffenberg

General Andrej Wlassow

Wlassow und Stabsoffiziere

Kalmückische Freiwillige, rechts im Foto

Kalmücke, gezeichnet von dem bekannten Künstler Repin

Feldpostbrief Weihnachten 1943

Kalmückischer Kavallerist

Ruinenstadt Stalingrad

Schlacht um Kursk 1943

Почему я стал на путь борьбы с большевизмом

(Открытое письмо генерал-лейтенанта А. А. Власова)

Призывая всех русских людей подниматься на борьбу против Сталина и его клики за построение Новой России без большевиков и капиталистов, я считаю своим долгом объяснить свои действия.

Меня ничем не обидела советская власть

Я — сын крестьянина, родился в Нижегородской губернии, учился на гроши, добился высшего образования. Я принял народную революцию, вступил в ряды Красной Армии для борьбы за землю для крестьян, за лучшую жизнь для рабочего, за светлое будущее Русского народа. С тех пор моя жизнь была неразрывно связана с жизнью Красной Армии. 24 года непрерывно я прослужил в ее рядах. Я прошел путь от рядового бойца до командующего армией и заместителя командующего фронтом. Я командовал ротой, батальоном, полком, дивизией, корпусом. Я был награжден орденами Ленина, «Красного Знамени» и медалью «XX лет РККА». С 1930 года я был членом ВКП(б).

И вот теперь я выступаю на борьбу против большевизма и зову за собой весь народ, сыном которого я являюсь.

Почему? Этот вопрос возникает у каждого, кто прочитает мое обращение, и на него я должен дать честный ответ. В годы гражданской войны я сражался в рядах Красной Армии потому, что я верил, что революция даст русскому народу землю, свободу и счастье.

Будучи командиром Красной Армии, я жил среди бойцов и командиров — русских рабочих, крестьян, интеллигенции, одетых в серые шинели. Я знал их мысли, их думы, их заботы и тяготы. Я не порывал связи с семьей, с моей деревней и знал, чем и как живет крестьянин.

И вот я увидел, что ничего из того, за что боролся Русский народ в годы гражданской войны, он в результате победы большевиков не получил.

Я видел, как тяжело жилось русскому рабочему, как крестьянин был загнан насильно в колхозы, как миллионы русских людей исчезали, арестованные, без суда и следствия. Я видел, что растаптывалось все русское, что на руководящие посты в стране, как и на командные посты в Красной Армии, выдвигались подхалимы, люди, которым не были дороги интересы русского народа.

Система комиссаров разлагала Красную Армию. Безответственность, слежка, шпионаж делали командира игрушкой в руках партийных чиновников в гражданском костюме или военной форме.

С 1938 по 1939 г. я находился в Китае в качестве военного советника Чан-Кай-Ши. Когда я вернулся в СССР, оказалось, что за это время высший командный состав Красной Армии был без всякого повода уничтожен по приказу Сталина. Многие и многие тысячи лучших командиров, включая маршалов, были арестованы и расстреляны, либо заключены в концентрационные лагеря и навеки исчезли. Террор распространялся не только на армию, но и на весь народ. Не было семьи, которая так или иначе избежала этой участи. Армия была ослаблена, запуганный народ с ужасом смотрел в будущее, ожидая подготовляемой Сталиным войны.

Предвидя огромные жертвы, которые в этой войне неизбежно придется нести русскому народу, я стремился сделать все от меня зависящее для усиления Красной Армии. 99-я дивизия, которой я командовал, была признана лучшей в Красной Армии. Работой и постоянной заботой о порученной мне воинской части я старался заглушить чувство возмущения поступками Сталина и его клики.

И вот разразилась война. Она застала меня на посту командира 4 мех. корпуса.

Как солдат и как сын своей Родины, я считал себя обязанным честно выполнить свой долг.

Мой корпус в Перемышле и Львове принял на себя удар, выдержал его и был готов перейти в наступление, но мои предложения были отвергнуты. Нерешительное, развращенное комиссарским контролем и растерянное управление фронтом привело Красную Армию к ряду тяжелых поражений.

Я отводил войска к Киеву. Там я принял командование 37-ой армией и трудный пост начальника гарнизона города Киева.

Я видел, что война проигрывается по двум причинам: из-за нежелания русского народа защищать большевистскую власть и созданную систему насилия и из-за безответственного руководства армией, вмешательства в ее действия больших и малых комиссаров.

В трудных условиях моя армия справилась с обороной Киева и два месяца успешно защищала столицу Украины. Однако, неизлечимые болезни Красной армии сделали свое дело. Фронт был прорван на участке соседних армий. Киев был окружен. По приказу верховного командования я был должен оставить укрепленный район.

После выхода из окружения я был назначен заместителем командующего юго-западным направлением и затем командующим 20-й армией. Формировать 20-ю армию приходилось в труднейших условиях, когда решалась судьба Москвы. Я делал все от меня зависящее для обороны столицы страны. 20-я армия остановила наступление на Москву и затем сама перешла в наступление. Она прорвала фронт Германской армии, взяла Солнечногорск, Волоколамск, Шаховскую, Середу и др., обеспечила переход в наступление по всему Московскому участку фронта, подошла к Гжатску.

Во время решающих боев за Москву, я видел, что тыл помогал фронту, но, как и боец на фронте, каждый рабочий, каждый житель в тылу

делал это лишь потому, что считал, что он защищает Родину.

Ради Родины он терпел неисчислимые страдания, жертвовал всем. И не раз я отгонял от себя постоянно встававший вопрос:

да полно, Родину ли я защищаю, за Родину ли я посылаю на смерть людей? Не за большевизм ли, маскирующийся святым именем Родины, проливает кровь Русский народ?...

Я был назначен заместителем командующего Волховским фронтом и командующим 2-й ударной армией. Пожалуй, нигде так не сказалось пренебрежение Сталина к жизни русских людей, как на практике 2-й ударной армии. Управление этой армией было централизовано и сосредоточено в руках Главного Штаба. О ее действительном положении никто не знал и им не интересовался. Один приказ командования противоречил другому. Армия была обречена на верную гибель.

Бойцы и командиры неделями получали 100 и даже 50 грамм сухарей в день. Они опухали

Smolensk-Rede von Wlassow

Freiwillige der 'Handschar'-Division

Panzer der Division 'Totenkopf' bei Kursk 1943

Wlassow inspiziert sowjetische Freiwillige im deutschen Dienst

Soldat der 'Handschar'-Division

Hiwis werden ausgebildet

Ein stolzer Hiwi

Hiwis für Hand- und Spanndienste

Reichsführer-SS Heinrich Himmler

Wlassow beim Propagandaminister Joseph Goebbels

Bronislav Kaminski

Kaminski-Brigade in Warschau 1944

Propagandablatt 'Signal' berichtet über das Treffen zwischen Himmler und Wlassow

Dr. Oskar Dirlewanger

Ukrainische Freiwillige

Ukrainische Propaganda für Nazi- Deutschland

Himmler und seine SS- Freiwilligen

Fritz Freitag, Kommandeur der Galizischen Waffen-SS Division

Wlassow und Freitag

General Wlassow bei Reichsleiter Baldur von Schirach

Wlassow bei seinen Männern

Truppenübungsplatz Heuberg

ROA- Soldaten

General Heinrich Aschenbrenner

Sowjettruppen bewährten sich am Fluss Oder

ROA-Wappenschild

Bronislav Kaminski

Kosake

Wlassow versammelte seine Russen bei Prag

ROA-soldat

Das sowjetische Regime rechnete rücksichtslos mit Kollaborateuren ab

Kaukasische Freiwillige

General Helmuth von Pannwitz

ROA-soldat

Loyalität zu Deutschland oder Zusammenarbeit mit dem tschechischen Widerstand?

Intern kam es nun zu heftigen Diskussionen innerhalb der Befreiungsarmee. Bunjacenko und sein Stabschef Nikolajew waren für eine Zusammenarbeit mit den tschechischen Nationalisten. Oberst Pozdnyakov hatte seine Vorbehalte. Alle Augen richteten sich daher auf Wlassow. Das galt auch für die deutsche Seite. Sein deutscher Stabsoffizier Erhard Kröger behielt Wlassow im Auge. Er schätzte Wlassow so ein, dass er bisher seinen Verpflichtungen treu geblieben war und nicht leichtfertig Verrat begehen würde. Andererseits stand der Aufbau einer antifaschistischen Front in der Tschechischen Republik nicht im Widerspruch zu Wlassows Idealen. Die Idee, die Front nach Osten geschlossen zu halten, damit die US-Truppen Prag befreien können, wurde angedeutet.

Alles deutete darauf hin, dass Wlassow in einen starken inneren Gewissenskonflikt geriet. Er hoffte auf ein deutsch-westliches Bündnis mit den Alliierten gegen die Sowjetunion, aber diese Option kam nicht zustande. Die internen Beratungen innerhalb der russischen Befreiungsarmeen wurden immer emotionaler. Es gab Druck von vielen Seiten, und Wlassows Autorität war in Gefahr. Der Überlieferung nach soll Wlassow das Treffen mit seinen Offizierskollegen mit den Worten verlassen haben: "Wenn meine Befehle nicht mehr befolgt werden, habe ich hier nichts mehr zu suchen."

In der Praxis hatte dies zur Folge, dass Wlassow die Annäherung Bunjacenkos an den tschechischen Widerstand tolerierte. Dies wurde auch durch den Verlauf der Ereignisse erzwungen. Am 5. Mai 1945 war der Prager Aufstand ausgebrochen. Die Wlassow-Armee hatte die Wahl, sich anzuschließen oder sich zum Feind zu machen. Sie entschied sich für Ersteres. Der Verrat Wlassows an Deutschland war eine Tatsache. In kürzester Zeit gerieten die deutschen Besatzungstruppen in Prag in Bedrängnis. Am 8. Mai vereinbarten sie mit den Deutschen, dass sie die Stadt während eines Waffenstillstands verlassen durften.

Über die Rolle der Wlassow-Truppen beim Ausbruch des Prager Aufstandes kursieren unterschiedliche Versionen. Aus kommunistischer Sicht wurde das Bild gezeichnet, dass die Wlassow-Truppen nur zufällig an dem Aufstand beteiligt waren. Der Chronist Joachim Hoffmann bezeichnete dies als Propaganda und sah eine breitere Unterstützung für die Prager Initiative. Auch die tschechischen nationalen Kräfte sprachen in ihrer Dokumentation offen davon, sich mit den ROA-Soldaten gegen die Deutschen zu verbünden. In der Praxis lief es darauf hinaus, dass sich die 1. ROA-Division, die 600 I.D., einfach vollständig am Prager Aufstand beteiligt hatte.

Bunjacenko war sich der historischen Chance bewusst und setzte alles daran, bei den tschechischen Streitkräften einen guten Eindruck zu hinterlassen. Einen ROA-Soldat, der geplündert hatte, ließ Bunjacenko einfach hinrichten. In der guten Disziplin der ROA lag "unsere Ehre und unser Heil", glaubte Bunjacenko. Dennoch verlief nicht alles reibungslos. Ein Depot mit Treibstoff für die neuen deutschen Düsenflugzeuge (Me-262) wurde von ROA-Truppen erobert, und da man in den Lagertanks Alkohol vermutete, kam es zu einem Saufgelage, das mehrere ROA-Soldaten mit ihrem Leben bezahlten. Die Russische Befreiungsarmee war eine große Armee und Disziplin konnte nicht überall gewährleistet werden. Schon vor dem Prager Maiaufstand war es am Bahnhof von Louny zu einer Schießerei zwischen ROA-Truppen und deutschen Soldaten gekommen, nachdem es zu einem Streit um Treibstoff gekommen war.

Zwischen den deutschen Stabsoffizieren im Hauptquartier von Wlassow und der Befreiungsarmee herrschte ein freundlicheres Verhältnis. Major I.G. Schwenningen wurde von den Russen entwaffnet, während sich die ROA-Soldaten entschuldigten. Nikolaev machte sich sogar die Mühe, Schwenningen die russische Position zu erklären.

Die Kämpfe um Rosin zwischen der Wlassow-Armee und den Deutschen

Militärisch am spannendsten war der Aufstand in Prag am 6. Mai 1945. Damals bedrängten noch gut organisierte und bewaffnete deutsche Einheiten die tschechischen Freiheitskämpfer. Hier brachten die Truppen der ROA Erleichterung.

Um Verwechslungen mit den Deutschen zu vermeiden - schließlich trugen sie die gleiche Uniform - wurde die russische Trikolore am Arm befestigt. Die härtesten Kämpfe führte die ROA um den deutschen Flugplatz Ruzyne (Rosin), von dem aus die neuen Me-262 Düsenjäger eingesetzt wurden. Die deutsche Jagdstaffel "Hogeback" verteidigte den strategischen Stützpunkt. Der Schlacht waren mehrere diplomatische Versuche vorausgegangen, das Ganze gewaltfrei zu lösen. Der Chef des VIII. Fliegerkorps, Oberst I.G. Sorge, ging selbst zu den Russen, um zu verhandeln. Mein Freund Wlassow wird das im Handumdrehen regeln", dachte er noch naiv. Doch die ROA nahm ihn gefangen und drohte ihm mit der Hinrichtung, wenn der Luftwaffenstützpunkt nicht aufgegeben würde. Die Deutschen gaben nicht nach, und die Hinrichtung von Sorge wurde vollstreckt.

Für die Deutschen war das Maß voll. Die letzten Me-262 Düsenjäger wurden bewaffnet und im

Sturzflug auf die Zufahrtsstraßen geschickt, auf denen die Kolonnen der Russischen Befreiungsarmee marschierten. Die Truppen der ROA nahmen daraufhin den Flugplatz unter Beschuss, zerstörten die Start- und Landebahnen und beraubten den Stützpunkt seiner strategischen Bedeutung.

Wlassow war unterdessen bei der 2. Division der ROA. Es wurden Pläne entwickelt, Wlassow nach Francos Spanien in Sicherheit zu fliegen. Wlassow wollte seine Männer jedoch nicht allein lassen. In diesen letzten Tagen empfing Wlassow eine weitere Delegation von Kosakeneinheiten in Norditalien. Wlassow befahl allen Einheiten, in Richtung Innsbruck vorzurücken. Am 30. April 1945 fand in Bad Reichenhall ein weiteres Treffen zwischen Kröger als Abgesandter Kösterings und Wlassow statt. Hier wird über den deutschen General Schörner ein weiterer Versuch unternommen, eine unblutige Lösung zwischen der ROA und Berlin zu finden. Wlassow entschied sich für eine praktische Lösung. Solange die 2. Division nicht angegriffen würde, würden die ROA-Kräfte selbst keine Gewalt anwenden.

In der Zwischenzeit treffen beunruhigende Berichte aus Prag ein. Die Provisorische Regierung fragte die Befreiungsarmee, warum sie nach Prag gekommen sei. Die Offiziere der ROA argumentierten, dass sie vom tschechischen Widerstand gebeten worden seien. Der Widerstand ist nicht die Regierung", lautete die Antwort. Damit wurde deutlich, dass die Russen zwischen die Mühlsteine zu geraten drohten. Für Wlassow war klar, dass der Kontakt zu den Amerikanern so schnell wie möglich hergestellt werden musste.

In der Nähe von Przibram, südlich von Prag, kam es zu neuen Zwischenfällen mit kommunistischen tschechischen Widerstandsgruppen, die mit der Roten Armee zusammenarbeiteten. Eine Reihe von ROA-Soldaten wurde gefangen genommen, aber von den Wlassow-Truppen gewaltsam befreit. Es handelte sich um Männer, die unter dem ROA-Offizier F. Truchin Kontakt zu den heranrückenden Amerikanern aufgenommen hatten. Diese hatten die Befreiungsarmee aufgefordert, sich innerhalb von 36 Stunden zu ergeben. Auf dem Rückzug aus den Verhandlungen wurden die ROA-Offiziere jedoch vom tschechischen Widerstand und der Roten Armee gefangen genommen. General J. Bojarksi gehörte zu den Unglücklichen, die in die Hände der Roten Armee fielen, und wurde in Przibram gehängt.

Es war jedoch klar, dass die Osttruppen von der Roten Armee wenig zu erwarten hatten. General Truchin war unterdessen spurlos verschwunden. Es waren die chaotischen letzten Tage des Dritten Reiches. Am 30. April 1945 hatte Hitler im Berliner Bunker Selbstmord begangen, und am 7. Mai war die bedingungslose Kapitulation Nazideutschlands Tatsache geworden. Damit waren alle Pläne Wlassows über den Haufen geworfen.

Die GI's in Pilsen

In Pilsen kam es zu einem ersten Kontakt zwischen Wlassow und den Amerikanern. Der amerikanische Major, dem er Bericht erstattete, dachte zunächst, er hätte es mit einem Offizier der Roten Armee zu tun. Der arme Mann hatte keine Ahnung von der Existenz der Russischen Befreiungsarmee. Das machte Wlassows Verhandlungsposition nicht einfacher. Ein anderer US-Offizier wurde gefunden, aber er argumentierte, dass er nicht befugt sei, Wlassow und seinen Männern zu versichern, dass sie nicht an die Sowjets ausgeliefert würden. Alles, was die ROA tun konnte, war, sich ohne Bedingungen zu ergeben.

Die Amerikaner gingen lässig mit ihren neuen russischen "Bekannten" um. Zivilkleidung war verfügbar, und Wlassow konnte sich aus dem Staub machen. Er wollte jedoch unbedingt, dass das Schicksal seiner Truppen klar war. Die Amerikaner schienen anfangs recht 'menschlich' auf diese seltsame Gruppe von Russen zu reagieren. Man gestattete ihm, sich wieder den ROA-Truppen anzuschließen, die sich nun in Schlüsselburg befanden. Die Amerikaner stellten sogar Treibstoff für sein Auto zur Verfügung. Auf den Straßen wurde Wlassow von den tschechischen Bürgern erkannt. Sie sahen ihn zum

Teil als Befreier Prags, überall wurde er gelobt. Eine Frau warf ihm einen Blumenstrauß ins Auto.

In Schlüsselburg schlug die Stimmung um. Wlassow wurde gebrieft, und der amerikanische Offizier fragte, warum er gegen sein Heimatland gekämpft habe. Wlassow verspürte wenig Interesse an einer Geschichtsstunde und blickte stoisch nach vorn. Wlassow hatte wenig Interesse an einer Geschichtsstunde und starrte stoisch vor sich hin. Wlassow war sowieso ein 'schwer durchschaubarer Mann', was den Kontakt nicht erleichterte. Die Amerikaner versuchten nun, ihn etwas mehr zu beruhigen, indem sie das Wort "Russland" durch das Wort "Stalin" ersetzten. Man suchte nach Motiven. Schließlich kam das Gespräch zustande, mit einer flammenden Rede des russischen ROA-Generals. Die Amerikaner waren beeindruckt und schienen bereit zu sein, zu helfen. Am nächsten Tag, es war jetzt der 11. Mai, wurden die ROA-Einheiten 6 Kilometer nördlich von Schlüsselburg zusammengezogen. Wlassow wurde von den Amerikanern die Möglichkeit gegeben, in die englische Zone zu fliehen, aber auch hier blieb Wlassow seinen Truppen treu. Am Abend standen die sowjetischen Panzerspitzen bereits direkt vor Wlassows Einheit.

Bald darauf wurden die ersten Kontakte geknüpft. Der sowjetische Kommandeur versprach den ROA-Truppen Sicherheit. Doch Wlassow und seine Männer wussten es besser. Inzwischen war klar geworden, dass die Amerikaner die Befreiungsarmee nicht aufnehmen würden. Man stand mit dem Rücken an der Wand. Sven Steenberg schilderte, dass die bis dahin geordnete Wlassow-Armee innerhalb von Minuten buchstäblich zerfiel. Alle wollten weg, die wilde Flucht hatte begonnen. Niemand wollte in die Hände der Sowjets fallen. Die große Jagd auf die Wlassow-Truppen hatte begonnen. Sowjets und kommunistische Tschechen beteiligten sich mit voller Kraft. Es war der Beginn eines Blutbades. Exekutionen fanden willkürlich statt. Möglicherweise 10.000 ROA-Soldaten verloren so im Mai-Chaos ihr Leben.

Wlassow schrieb ein letztes Memorandum, in dem er sich bereit erklärte, sich vor einem unabhängigen Gericht zu verantworten. Angeführt von einem amerikanischen Panzerwagen fuhr ein Konvoi mit der Spitze der ROA nach Osten, in Richtung der Russen. Sobald die Sowjets Wlassow erblickten, wurden Maschinengewehre auf ihn gerichtet. Wlassow breitete die Arme aus und sagte ruhig: "Sie können feuern!". Die Amerikaner standen wie versteinert da.

Von Jalta verschluckt

In Jalta waren Vereinbarungen zwischen den Alliierten getroffen worden, und die sowjetischen Kollaborateure mussten auf dieser Grundlage ausgeliefert werden. Die beiden ROA-Divisionen erlitten dieses Schicksal. Der Stab der 2. Division kapitulierte erst nach einem Feuergefecht. Die Frau des Kommandeurs schluckte die Giftpille. Das Kosakenkorps, das versucht hatte, sich mit den Wlassow-Einheiten zu vereinigen, lag an der Drau nahe der österreichischen Grenze. Damit fielen sie unter britische Herrschaft und wurden um Weitensfeld versammelt. Wieder drohte die Auslieferung und die Kosaken traten in den Hungerstreik. Dies konnte die Auslieferung in einer großen LKW-Kolonne nicht verhindern. Dies dauerte bis Anfang Juni 1945, als 37 Generäle, 2.200 Offiziere und über 30.000 Kosaken ausgeliefert wurden. Es kam zu dramatischen Szenen, zu Selbstmorden und verzweifelten Menschen, die sich in die Drau stürzten. Währenddessen plünderten Einheimische das zurückgelassene Lager, Pferde wurden erbeutet und alles Wertvolle verschwand. Der britische Offizier Major Davis, der die Auslieferung an die Sowjets leitete, ließ über ein Megaphon verkünden, dass er den Freiheitskampf der Kosaken bewundere, aber durch internationale Abkommen gezwungen sei, sie auszuliefern.

Am 12. August 1946 und am 17. Januar 1947 wurden von den Sowjets Prozesse gegen sowjetische Kollaborateure abgeschlossen. Es waren fast lakonische Ankündigungen. Die ROA-Führung und die Kosakeneinheiten wurden einfach zum Tode verurteilt. Als die Nachricht die Zeitungen erreichte, waren die Urteile bereits vollstreckt worden. Wlassow und seine Mitstreiter wie Malischkin, Schilenkow, Truchin und andere wurden verurteilt und aus der Geschichte getilgt.

Auch die 162. türkische Division wurde von den Briten an die Sowjets ausgeliefert und erlitt das gleiche Schicksal. General Pannwitz fiel in russische Hände und wurde nach seiner Kapitulation am 11. Mai an die Rote Armee übergeben und im Januar 1947 hingerichtet. Im Jahr 1997 wurde er von Jelzin als "Opfer des Stalinismus" rehabilitiert. Oberländer war einer der wenigen, denen der Durchbruch in den Westen gelang. Er wurde später Minister unter Bundeskanzler Adenauer.

Nachwort: Knifflige Bilanz

Es ist schwierig, eine Bilanz der Osttruppen zu ziehen. Sie ist immer noch ein wunder Punkt in der Diskussion über die Kriegsgeschichte in Osteuropa. Von Pannwitz zum Beispiel wurde, wie wir gesehen haben, unter dem russischen Präsidenten Boris Jelzin rehabilitiert, und heute stehen in der Ukraine wieder Hunderte von Statuen von Bandera. Kollaborateure wurden für ihren Antikommunismus gelobt. Aber es gab auch eine Kehrseite. Die Menschen hatten kollaboriert und es klebte auch Blut an ihren Händen. Sie wurden teilweise mit den Nazis gleichgesetzt und verfolgt oder einige Jahre nach dem Krieg sogar liquidiert, wie Stefan Bandera, als er 1959 vom sowjetischen Geheimdienst in München liquidiert wurde.

All diese heiklen Widersprüche waren auch während des Krieges selbst im Spiel. Die Deutschen appellierten an das Freiheitsideal der kollaborierenden Völker, unterdrückten sie aber gleichzeitig aufgrund der eigenen Strategie. Dabei wurden die Alliierten sowohl als "Untermenschen" als auch als Waffenbrüder betrachtet. Dies war ein hartnäckiges und schmerzhaftes Paradoxon, obwohl sich einige deutsche Befehlshaber zutiefst mit den Osttruppen identifizierten und auch alles daran setzten, ihnen in ihren Wünschen und Bestrebungen nachzueifern, wie von Pannwitz, Oberländer und von Heygendorff, der letzte Kommandeur der 162. türkischen Division. Nach Berechnungen von Gerhard von Mende traten in dieser Zeit etwa 1 Million Männer in die deutsche Armee oder in Hilfsbataillone ein. Zeitweise bestanden 10 % des Heeres an der Ostfront aus "Russen". Diese Russen waren in Wirklichkeit Delegierte aus vielen Nationen. Von Mende schätzte, dass 180.000 Turkmenen unter den Deutschen gedient hatten, 110.000 Kaukasier, 40.000 Tataren und Hunderttausende andere, darunter Russen und Ukrainer. Diese Männer hatten ein großes Blutopfer für ihre Kollaboration gebracht. So rechnete von Mende vor, dass allein die Kaukasier etwa 48 % ihrer Freiwilligen, rund 50.000 Mann, auf dem Schlachtfeld zurückließen.

Die Diskussion über die Kollaboration der Osttruppen wurde im Zuge des Streits um die Donezk-Kohle zwischen Wladimir Putin und der heutigen Ukraine wiederbelebt. In der Kriegspropaganda wurden die Dämonen der Vergangenheit wiederbelebt.

Die ukrainischen Truppen wurden von Moskau als 'Faschisten' dargestellt. Einige ukrainische Einheiten sahen dies als einen Spitznamen an und schmückten sich mit faschistoider Symbolik.

Der Mangel an demokratischer Tradition in der Region hinterlässt Spuren. Daher wird das letzte Wort über diese Angelegenheit noch nicht geschrieben sein, die wie ein Damoklesschwert über der Geschichte des Zweiten Weltkriegs in Osteuropa schwebt.

Kurzer Literaturüberblick:

Alvarez, M.G./Pierik, P., *De Spaanse blauwe divisie. De dramatische strijd van Franco's troepen voor Leningrad*, Soesterberg: uitgeverij Aspekt 2021 (tweede druk)

Baumeister, R., *Erfahrungen mit Ostfreiwilligen im II. Weltkrieg, In: Wehrkunde, Organ der Gesellschaft für Wehrkunde*, IV.jahrgang 1955

Beld, A., *Met Hitler tegen Stalin. Samenwerking met de Duitse bezetter in de Sovjet-Unie,* Soesterberg; Uitgeverij Aspekt, 2021

Bethell, N., *The Last Secret. The Delivery too Stalin of over two million Russians by Britain and the United States, New York*: Basic Books

Cwiklinski, S., Die Panturkismus der SS: Angehörige sowjetischer Turkvöker als Objekte und Subjekte der SS Politik In: Zentrum Moderner Orient, geisteswissenschaftliche Zentern Berlin e.V. , Gerhard Höp und Brigitte Reinwald (hg.), *Fremdeinsätze, Afrikaner und Asiaten in europaischen Kriegen, 1914-1918 Studien 13 Berlin:* Verlag das Arabische Buch, 2000

Dallin, A., *Deutsche Herrschaft in Russland*, Düsseldorf: Droste Verlag 1958

Dossena, P.A., Hitler's *Turkestani Soldiers. A History of the 162nd (Turkistan) Infantery Division* Solihull: Helion & Company 2015

Fleischhauer, E.I., *Der Kapp-Putsch. Lenin und Ludendorff 1918-1920*, Edition Winterwork,2020

Heike, W.D., *Sie wollten die Freiheit. Die Geschichte der Ukrainischen Division 1943-1945* Dorheim: Podzun verlag z.j.

Hoffmann, J., *Die Tragödie der Russische Befreiungsarmee*

1944/45. Wlassow gegen Stalin Herbig Verlag 1984
Hoffmann, J., *Deutsche und Kalmyken 1942-bis 1945*, Freiburg: Rombach Verlag
Lower, W., *Nazi Empire-Building and the Holocaust in Ukraine*, The University of North Carolina Press 2005
Mackiewicz, J., *Die Tragödie an der Drau. Die verratene Freiheit*, München: Bergstadtverlag 1957
Mende, G. Von, Errfahrungen mit Ostfreiwilligen in der deutschen Wehrmacht während des Zweiten Weltkrieges, In: *Auslandforschung, Schriftenreihe der Auslandwissenschaftlichen Gesellschaft e.V. Heft 1, Vielvöker-Heere und Koalitions-Kriege*. Darmstad: C.W.Leske Verlag 1952
Michaelis, R., *Ukrainer in der Waffen-SS. Die 14.Waffen-Grenadier-Division der SS (ukrainische nr. 1)*, Berlin: Michaelis-Verlag 2000
Nahaylo, B., Ukrainian National Resistance in Soviet Ukraine during the 1920s, In: *Journal of Ukrainian Studies 15, No 2 Winter 1990*
Pierik, P., *'Neu Turkestan' aan het front. Islamitische soldaten uit de Kaukasus en de Balkan in dienst van de Waffen-SS*, Soesterberg: uitgeverij Aspekt 2019
Pierik, P., *Het Rode Leger wankelt. Ruslandveldtocht 1941*, Soesterberg: uitgeverij Aspekt 2015
Pierik, P., *Krim. Bestorming, belegering, verovering, bezetting en moord. 1941-1942*, Soesterberg: uitgeverij Aspekt 2021 (tweede druk)
Pierik, P., *Horthy en de strijd om de Hongaarse natiestaat. Over de oorsprong van het anti-Europa sentiment in Hongarije*, Soesterberg: uitgeverij Aspekt, 2021
Pierik, P., *Wapenbroeders. Roemenië nazi-Duitsland en operatie 'Barbarossa'*, Soesterberg: uitgeverij Aspekt 2021
Rudling, P.A., The Defended Ukraine: The 14.Waffen-Grenadier-Division der SS (Galizische Nr.1) revisited, In: *The Journal of Slavic Military Studies 04.09.2012*
Schnell, F., *Räume des Schreckens. Gewalt und Gruppenmili-*

tanz in der Ukraine 1905-1933, Hamburg: Hamburger edition 2012

Steenberg, S., *Verräter oder Patriot? Wlassow.* Köln: Verlag Wissenschaft und Polik, 1968

Sudoplatov, P/Sudoplatov, A., *Special Task. The Memoirs of an unwanted witness- a Soviet Spymaster,* Boston/New York: 1994

Vynnychenko, I., The Deportation, Incarceration and forced Resettlement of Ukrainians in the Soviet Period, In: *Journal of Ukrainian Studies 18 no 1-2 (Summer-Winter 1993)*

Archiv:

Germandocsinrussia: Bestandbuch 500 Findbuch 12463, Akte 48 Bestandbuch 500 Findbuch 12454 Akte 376, Bestandbuch 500 Findbuch 12469, Akte 5, Bestandbuch 500 Findbuch 12470, Akte 2, Bestandbuch 500, Findbuch 12646, Akte 169, Bestandbuch 500 Findbuch 12477 Akte 25 Bestandbuch 500, Findbuch 12451 Akte 24, Bestandbuch 500, Findbuch 12451 Akte 376

National Archives Washington: T78/R413, T78/R541, T84/R245, T313/R172, T175/R104, T311/R236, T314/R31, T314/R831, T314/R1050, T315/R412, T501/R203, T501/R350